O INVESTIDOR
DE BOM SENSO

O INVESTIDOR DE BOM SENSO

A MELHOR MANEIRA DE GARANTIR UM BOM
DESEMPENHO NO MERCADO DE AÇÕES

John C. Bogle

Fundador do Vanguard Group

SEXTANTE

Título original: *The Little Book of Common Sense Investing*
Copyright © 2017 por John C. Bogle
Copyright da tradução © 2020 por GMT Editores Ltda.

Publicado mediante acordo com John Wiley & Sons, Inc.
Todos os direitos reservados. Nenhuma parte deste livro pode ser utilizada ou reproduzida sob quaisquer meios existentes sem autorização por escrito dos editores.

tradução: Ivo Korytowski
preparação de texto: Cláudia Mello Belhassof
revisão: Ana Grillo e Luis Américo Costa
projeto gráfico e diagramação: Julio Moreira | Equatorium Design
capa: DuatDesign
impressão e acabamento: Associação Religiosa Imprensa da Fé

CIP-BRASIL. CATALOGAÇÃO NA PUBLICAÇÃO
SINDICATO NACIONAL DOS EDITORES DE LIVROS, RJ

B664i
    Bogle, John C.
        O investidor de bom senso / John C. Bogle; tradução Ivo Korytowski. – Rio de Janeiro: Sextante, 2020.
        240 p.; 16x23 cm.

        Tradução de: The little book of common sense investing
        ISBN 978-85-431-1011-0

        1. Investimentos. 2. Ações (Finanças). 3. Carteiras (Finanças) – Administração. 4. Fundo mútuo de renda fixa. I. Korytowski, Ivo. II. Título.

20-64780   CDD: 332.6327
                                                                  CDU: 336.76

Todos os direitos reservados, no Brasil, por
GMT Editores Ltda.
Rua Voluntários da Pátria, 45 – 14.º andar – Botafogo
22270-000 – Rio de Janeiro – RJ
Tel.: (21) 2538-4100
E-mail: atendimento@sextante.com.br
www.sextante.com.br

Em memória de Paul A. Samuelson, professor de Economia do Instituto de Tecnologia de Massachusetts (MIT), ganhador do Prêmio Nobel e sábio dos investimentos.

Em 1948, quando eu era estudante na Universidade de Princeton, o clássico livro de Samuelson me apresentou à Economia. Em 1974, seus escritos reacenderam meu interesse pela indexação do mercado como estratégia de investimento. Em 1976, em sua coluna na *Newsweek*, ele me elogiou por criar o primeiro fundo mútuo de índice do mundo. Em 1993, escreveu o prefácio do meu primeiro livro e, em 1999, deu seu aval poderoso ao meu segundo. Embora tenha partido em 2009, permanece sendo meu mentor, minha inspiração, minha luz.

SUMÁRIO

9 INTRODUÇÃO

23 CAPÍTULO 1
Uma parábola

29 CAPÍTULO 2
Exuberância racional

42 CAPÍTULO 3
Faça sua aposta nos negócios

53 CAPÍTULO 4
Como a maioria dos investidores transforma um jogo de vencedor em um jogo de perdedor

65 CAPÍTULO 5
Concentre-se nos fundos de custo menor

75 CAPÍTULO 6
Dividendos são os (melhores?) amigos dos investidores

82 CAPÍTULO 7
A grande ilusão

91 CAPÍTULO 8
Impostos também são custos

98 CAPÍTULO 9
Quando os bons tempos terminam

114 CAPÍTULO 10
Como selecionar vencedores de longo prazo

127 CAPÍTULO 11
"Regressão à média"

137 CAPÍTULO 12
Em busca de conselhos para escolher fundos?

148 CAPÍTULO 13
Lucre com a majestade da simplicidade e da parcimônia

159 CAPÍTULO 14
Fundos de títulos de dívida

169 CAPÍTULO 15
O fundo negociado em bolsa (ETF)

181 CAPÍTULO 16
Fundos de índice que prometem superar o mercado

192 CAPÍTULO 17
O que Benjamin Graham teria achado da indexação?

202 CAPÍTULO 18
Alocação de recursos I: Ações e títulos de dívida

213 CAPÍTULO 19
Alocação de recursos II

228 CAPÍTULO 20
Conselhos de investimentos que resistem ao teste do tempo

235 AGRADECIMENTOS

INTRODUÇÃO

Não permita que um jogo vitorioso se torne um jogo fracassado

UM INVESTIMENTO DE SUCESSO depende inteiramente de bom senso. Como disse Warren Buffett, o Oráculo de Omaha: é simples, mas não é fácil. A matemática simples sugere, e a história confirma, que a estratégia vitoriosa para investir em ações consiste em possuir todas as empresas de capital aberto da nação a um custo bem baixo. Com isso você garante quase todo o retorno gerado por essas empresas em forma de dividendos e expansão dos lucros.

O melhor meio de implementar essa estratégia é de fato bem simples: *compre um fundo que detenha essa carteira de todo o mercado e o mantenha para sempre.* Esse é o chamado fundo de índice. Ele consiste simplesmente numa cesta (carteira) que contém muitos, muitos ovos (ações) visando imitar o desempenho geral do mercado de ações americano (ou de qualquer mercado financeiro ou setor do mercado).*

---

* Tenha em mente que um índice também pode ser construído em torno do mercado de títulos, ou mesmo de classes de ativos menos exploradas, como commodities ou imóveis. Atualmente, caso deseje, você pode manter toda a sua riqueza em uma carteira diversificada

O fundo de índice tradicional (conhecido nos Estados Unidos por *traditional index fund*, ou TIF), por definição, basicamente representa toda a cesta do mercado de ações, não apenas alguns ovos. Ele elimina o risco de escolher ações individuais, o risco de enfatizar certos setores do mercado e o risco da seleção do administrador. Permanece apenas o risco do mercado de ações (que já é bem grande, sim, senhor!). Os fundos de índice compensam a falta de empolgação no curto prazo com sua lucratividade realmente empolgante no longo prazo. O TIF foi concebido para ser mantido a vida toda.[1]

O fundo de índice elimina os riscos de ações individuais, setores do mercado e seleção do administrador. Permanece apenas o risco do mercado de ações.

Este livro trata de muito mais do que fundos de índice. Ele vai simplesmente mudar a sua maneira de pensar sobre investimentos. É um livro sobre por que investir a longo prazo é bem melhor para você do que a especulação de curto prazo; sobre o valor da diversificação; sobre o papel poderoso dos custos dos investimentos; sobre os perigos de depender do desempenho passado de um fundo e ignorar o princípio da regressão à média (*reversion to the mean*, ou RTM, em inglês) nos investimentos; e sobre o funcionamento dos mercados financeiros.

---

de fundos indexados tradicionais de baixo custo representando cada classe de ativo e cada setor do mercado nos Estados Unidos ou no mundo todo. *(N. do A.)*

[1] A Associação Brasileira das Entidades dos Mercados Financeiro e de Capitais (Anbima) classifica os fundos de ações em quatro categorias: fundos indexados (que visam replicar o desempenho de um índice), fundos ativos (cujo objetivo é ter um desempenho superior ao de um índice), fundos específicos e fundos de investimento no exterior (nos quais mais de 40% do patrimônio estão investidos em ativos financeiros fora do país). *(N. do E.)*

O fundo de índice tradicional (TIF)

Estou falando aqui do fundo de índice tradicional. O TIF é amplamente diversificado, contendo todo (ou quase todo) o seu quinhão dos 26 trilhões de dólares em capitalização do mercado de ações americano como um todo no início de 2017. Ele opera com despesas menores comparadas a outros fundos e com o mínimo de rotatividade da carteira. Esse fundo de índice tradicional – o primeiro replicava os retornos do índice Standard & Poor's 500 (S&P 500) – simplesmente possui ações das empresas dominantes dos Estados Unidos, adquirindo uma participação em cada ação do mercado em proporção à sua capitalização de mercado e mantendo-a para sempre.

A magia dos retornos do investimento capitalizado; a tirania dos custos do investimento capitalizado

Não subestime o poder da capitalização dos retornos generosos obtidos pelas empresas americanas.

Suponhamos que as ações das empresas obtenham um retorno de 7% ao ano. Capitalizado a essa taxa por uma década, cada 1 dólar inicialmente investido aumenta para 2 dólares; em duas décadas, para 4; em três décadas, para 7,50; em quatro décadas, para 15; e, em cinco décadas, para 30 dólares.[2]

A magia da capitalização é quase um milagre. Em termos sim-

---

[2] O Ibovespa, principal índice da bolsa brasileira, apresentou um retorno anual médio de 10% nas duas décadas que vão de 1999 a 2019. Esse número salta para 74,8% se estendermos a análise para três décadas, de 1989 a 2019. Os valores não descontam a inflação nos períodos. (N. do E.)

ples, graças ao crescimento, à produtividade, à engenhosidade e à inovação das empresas, o capitalismo cria riqueza, um *jogo de soma positiva para seus proprietários. Investir em ações no longo prazo tem sido um jogo de vencedor.*

Os retornos obtidos pelas empresas acabam se traduzindo nos retornos obtidos pelo mercado de ações. Não tenho como saber qual parcela desses retornos do mercado os investidores americanos ganharam individualmente, mas estudos acadêmicos indicam que um típico investidor em ações individuais provavelmente teve retornos de cerca de dois pontos percentuais abaixo do mercado por ano.

Aplicando essa cifra ao retorno anual de 9,1% obtido nos últimos 25 anos pelo S&P 500, o retorno anual do investidor americano deve ter ficado na faixa dos 7%. Resultado: os investidores juntos só receberam uns três quartos do bolo. E, como será explicado no Capítulo 7, para um investidor típico em fundos mútuos, o resultado foi ainda pior.

Um jogo de soma zero?

Se você não acredita que o retorno representa o que a maioria dos investidores recebe, pense por um momento sobre "as regras implacáveis da humilde matemática" (Capítulo 4). Essas regras férreas definem o jogo. Na condição de investidores, todos nós, como um grupo, obtemos o retorno do mercado de ações.

Como um grupo – espero que você esteja sentado para esta revelação surpreendente –, nós, investidores, estamos na média. Para cada ponto percentual de retorno acima do mercado que um de nós obtém, outro investidor sofre uma defasagem de retorno com precisamente a mesma dimensão. *Antes de deduzir os custos do investimento, superar o mercado de ações é um jogo de soma zero.*

Um jogo de perdedor

À medida que os investidores procuram superar uns aos outros, os ganhos dos vencedores sempre equivalem às perdas dos perdedores. Com toda essa atividade febril de transações, o único vencedor certo nessa custosa competição pelo ganho extra é aquele que se encontra no meio do sistema financeiro. Como Warren Buffett escreveu: "Quando trilhões de dólares são geridos por gente de Wall Street que cobra taxas altas, geralmente serão os administradores que obterão lucros descomunais, não os clientes."

No cassino, a casa sempre vence; nas corridas de cavalos, o hipódromo sempre vence; na loteria, o Estado sempre vence. Investir não é diferente. No jogo do investimento, os crupiês financeiros sempre vencem e os investidores como um grupo perdem. *Descontados os custos de investir, superar o mercado de ações é um jogo de perdedor.*

Menos para os crupiês do mercado financeiro significa mais para os investidores por aí afora.

Assim, investir com sucesso consiste em minimizar a parcela dos retornos obtidos pelas empresas que é consumida pelo mercado financeiro e maximizar a parcela dos retornos que chega aos investidores por aí afora (estou falando de *você*, caro leitor).

Suas chances de conquistar uma parcela justa dos retornos do mercado aumentam substancialmente se você fizer o mínimo necessário de transações. Um estudo mostrou que, durante o forte mercado em alta do período 1990-1996, a quinta parte mais ativa de todos os negociadores de ações teve uma rotatividade de mais de 21% ao mês em sua carteira. Embora tenham obtido o retorno anual do mercado de 17,9% durante aquele período de euforia, eles arcaram com custos de transações de cerca de 6,5%, ficando com um retorno anual de 11,4%, apenas dois terços do retorno do mercado.

Os investidores em fundos mútuos também têm ideias exageradas da própria onisciência. Eles escolhem fundos com base no desempenho superior recente – ou mesmo na superioridade de longo prazo – de um administrador de fundos e não raro contratam consultores para ajudá-los a alcançar a mesma meta (os "Helpers" de Warren Buffett que serão descritos no Capítulo 1). Mas, como explico no Capítulo 12, os consultores fazem isso com menos sucesso ainda.

Ignorando o ônus representado pelos custos, muitos investidores estão dispostos a pagar pesadas comissões de vendas e arcar com excessivas taxas e despesas dos fundos, além de estarem inconscientemente sujeitos aos custos não divulgados de transações substanciais com que arcam os fundos como resultado da rotatividade hiperativa da carteira. Os investidores acreditam que conseguem escolher excelentes administradores de fundos. *Estão enganados.*

Os investidores em fundos mútuos acreditam que conseguem escolher excelentes administradores de fundos. Estão enganados.

No entanto, para aqueles que investem e depois se retiram do jogo sem nunca pagar um custo desnecessário sequer, as chances de sucesso são incríveis. Por quê? Simplesmente porque eles possuem ações de *empresas*, e as empresas como um grupo obtêm retornos substanciais sobre seu capital, pagam dividendos aos seus proprietários e reinvestem o restante em seu crescimento futuro.

Sim, muitas empresas fracassam. Firmas com ideias falhas, estratégias rígidas e administração fraca acabam sendo vítimas da *destruição criativa*, que é o marco inconfundível do capitalismo competitivo, e logo surgem outras.* No todo, porém, as empresas aumentaram com o crescimento de longo prazo da vibrante economia americana. Desde 1929, por exemplo, o produto interno bruto (PIB) dos Estados Unidos cresceu a uma taxa anual nominal de 6,2%; os lucros anuais antes de descontar os impostos das corporações cresceram a uma taxa de 6,3%. A correlação entre o crescimento do PIB e o crescimento dos lucros corporativos é de 0,98 (1,0 é uma correlação perfeita). Suponho que esse relacionamento de longo prazo predominará nos próximos anos.

Saia do cassino e permaneça fora!

Este livro pretende mostrar por que você deveria parar de contribuir para os crupiês do mercado financeiro. Por quê? Porque, durante a década de 2000, eles extraíram dos investidores algo em torno de 565 bilhões de dólares a cada ano.

Este livro também vai lhe mostrar como é fácil evitar esses crupiês: simplesmente compre um fundo que replique o S&P 500 ou o mercado de ações total. Depois que comprar suas ações, saia do cassino – e permaneça fora. É isso que o fundo de índice tradicional faz.[3]

---

* "Destruição criativa" é a formulação de Joseph E. Schumpeter em seu livro de 1942, *Capitalismo, socialismo e democracia*. O termo se refere à constante inovação de produtos e processos que leva novas unidades de produção a substituírem outras, já defasadas. Esse processo de reestruturação permeia os principais fatores de desempenho macroeconômico. Estima-se que, a longo prazo, o processo de destruição criativa represente mais de 50% do crescimento da produtividade. *(N. do A.)*

[3] No Brasil, isso seria o equivalente a investir em um fundo que use como referência o Ibovespa, que é o índice mais amplo do mercado. *(N. do E.)*

Simples, mas não fácil

Essa filosofia de investimento não se resume a sua simplicidade e elegância – a matemática em que ela se baseia é irrefutável. Mas não é fácil seguir sua disciplina. Enquanto nós, investidores, aceitarmos o status quo do complicado sistema do mercado financeiro atual, enquanto curtirmos a empolgação (por mais custosa que seja) de comprar e vender ações e enquanto não percebermos que existe um caminho melhor, tal filosofia parecerá contraintuitiva.

Mas peço a você que considere com atenção a fervorosa mensagem deste livro. E, quando o fizer, você também vai querer aderir à revolução da indexação e adotar uma forma de investir "mais econômica, mais eficiente, até mais honesta",* uma forma mais produtiva, que coloca seus interesses em primeiro lugar.

Thomas Paine e *Senso comum*

Não me parece razoável esperar que um único livro acenda a centelha de uma revolução nos investimentos. Novas ideias que vão contra o pensamento convencional da época são sempre recebidas com dúvida e desdém, até medo. Há 240 anos, o mesmo desafio foi enfrentado por Thomas Paine, cujo tratado de 1776, *Senso comum*, ajudou a desencadear a Revolução Americana. Eis o que Paine escreveu:

---

* "Econômica", "eficiente" e "honesta" são os termos que empreguei em meu trabalho de conclusão de graduação na Universidade de Princeton, em 1951, "O papel econômico da empresa de investimentos". Alguns princípios são eternos. *(N. do A.)*

Talvez os sentimentos contidos nas páginas seguintes ainda não sejam suficientemente populares para que desfrutem da estima geral. Se algo não é considerado errado por muito tempo, adquire a aparência superficial de estar certo e suscita, de início, um brado formidável em defesa do habitual. Mas o tumulto logo se aquieta. O tempo produz mais adeptos do que a razão. [...] Ofereço nada mais que fatos simples, argumentos honestos e senso comum.

Como sabemos agora, os argumentos poderosos e eloquentes de Thomas Paine levaram a melhor. A Revolução Americana gerou a Constituição do país, que até hoje define as responsabilidades do governo e dos cidadãos americanos, a própria essência da sociedade.

De forma semelhante, acredito que na próxima era meus fatos simples, meus argumentos honestos e meu bom senso prevalecerão entre os investidores. A Revolução da Indexação nos ajudará a desenvolver um sistema de investimentos mais eficiente, cuja prioridade máxima seja servir os investidores.

Estrutura e estratégia

Alguns podem insinuar que, como criador da gestora de fundos americana Vanguard, em 1974, e do primeiro fundo mútuo de índice do mundo, em 1975, tenho interesse pessoal em convencer o leitor das minhas ideias. *Claro que tenho!* Mas não porque isso me enriqueça. Não ganho nem um centavo com isso. Pelo contrário, quero convencer você porque aquelas duas rochas sobre as quais a Vanguard foi fundada tantos anos atrás – nossa estrutura de fundo realmente mútuo, detido pelos acionistas, e nossa estratégia de fundo de índice – vão enriquecer *você* no longo prazo.

Não acredite apenas em mim!

Nos primeiros anos da indexação, minha voz era solitária. Mas houve uns poucos outros adeptos ponderados e respeitados cujas ideias me inspiraram a levar em frente minha missão. Atualmente, muitos de nossos investidores mais sábios e bem-sucedidos endossam o conceito de fundo de índice. Entre os acadêmicos, a aceitação é quase universal. *Então não acredite apenas em mim.* Ouça especialistas independentes que não têm nenhuma motivação pessoal além de investigar a verdade sobre investimentos. Você conhecerá alguns deles no fim de cada capítulo.

Ouça, por exemplo, este aval de Paul A. Samuelson, ganhador do Prêmio Nobel de Ciências Econômicas e ex-professor de Economia do MIT, a cuja memória este livro é dedicado: "Os preceitos fundamentados de Bogle podem permitir que uns poucos milhões entre nós, poupadores, sejam invejados daqui a 20 anos por nossos vizinhos abastados – ao mesmo tempo que dormimos bem nesses períodos agitados."

Levará muito tempo para consertar o sistema financeiro, mas o ritmo glacial dessa mudança não deve impedir o investidor de buscar seus interesses. Você não precisa participar da cara insensatez do sistema. Se optar pelo jogo de vencedor de possuir ações de empresas e evitar o jogo de perdedor de tentar superar o mercado, pode começar a tarefa simplesmente usando seu bom senso, entendendo o sistema e eliminando substancialmente todos os seus custos excessivos.

Assim, enfim, você certamente ganhará sua parcela justa de todos os retornos que as empresas possam generosamente proporcionar nos próximos anos, já que estarão refletidos nos mercados de ações e títulos de dívida (cuidado: você também terá sua parcela justa de retornos negativos temporários). Quando entender essas realidades, você verá que tudo se resume a bom senso.

Quando a primeira edição de *O investidor de bom senso* foi publicada, minha esperança era que os investidores o achassem útil para ajudá-los a ganhar sua parcela justa de todos os retornos – positivos ou negativos – proporcionados pelos mercados financeiros.

Aquele livro de 2007 foi um sucessor direto do meu primeiro, *Bogle on Mutual Funds: New Perspectives for the Intelligent Investor* (Bogle fala de fundos mútuos: novas perspectivas para o investidor inteligente), publicado em 1994. Ambos defendem os investimentos indexados e ambos se tornaram os livros mais vendidos sobre fundos mútuos de todos os tempos.

Desde a publicação de meu primeiro livro, os fundos de índice receberam o reconhecimento merecido. Os ativos dos fundos de ações indexados aumentaram 168 vezes, de 28 bilhões de dólares para 4,6 trilhões até meados de 2017.[4] Só na última década, os investidores americanos acrescentaram 2,1 trilhões de dólares aos seus investimentos em fundos de ações indexados e retiraram mais de 900 bilhões de dólares de seus investimentos em fundos de ações ativamente geridos. Essa enorme oscilação de 3 trilhões nas preferências dos investidores certamente representa nada menos do que uma revolução nos investimentos.

Em retrospecto, parece claro que meu pioneirismo ao criar o primeiro fundo mútuo de índice, em 1975, gerou a centelha que desencadeou a revolução da indexação. E também parece razoável concluir que meus livros, lidos por milhões de leitores, desempenharam um papel importante em alimentar o poder extraordinário da revolução subsequente.

A destruição criativa colhida pelos fundos de índice em grande parte serviu bem aos investidores. Ao ler esta edição, você verá que ela corrobora firmemente os princípios sensatos de seus predecessores,

---

[4] Em agosto de 2019, chegaram a 4,6 trilhões, superando os fundos ativos pela primeira vez. (*N. do E.*)

com novos capítulos sobre dividendos, alocação de ativos e planejamento da aposentadoria focados na implementação desses princípios. Aprenda! Aproveite! Aja!

JOHN C. BOGLE
Valley Forge, Pensilvânia
1º de setembro de 2017

NÃO ACREDITE APENAS EM MIM

Charles T. Munger, parceiro de negócios de Warren Buffett na Berkshire Hathaway, diz o seguinte: "Os sistemas gerais de administração do dinheiro [atualmente] requerem que as pessoas finjam que fazem algo que não sabem fazer e gostem de algo de que não gostam. É estranho porque, em termos de valor líquido, todo o negócio de administração de investimentos somado não oferece valor agregado a todos os compradores combinados. *É assim que tem de funcionar.* Os fundos mútuos cobram 2% ao ano e os corretores transferem as pessoas de um fundo para outro, ao custo de mais três a quatro pontos percentuais. O pobre sujeito do público leigo está obtendo um produto terrível dos profissionais. Acho isso deplorável. É bem melhor fazer parte de um sistema que oferece valor às pessoas que compram o produto."

. . .

William Bernstein, consultor de investimentos (e neurologista) e autor de *The Four Pillars of Investing* (Os quatro pilares do investimento), diz: "Já é bem ruim que você tenha de correr os riscos do mercado. Somente um insensato assume o risco adicional de infligir ainda mais dano ao não diversificar apropriadamente sua cesta de ovos. Evite o problema – adquira um fundo de índice bem administrado e possua o mercado inteiro."

• • •

Veja as palavras da *The Economist*, de Londres: "A verdade é que, na maior parte, os administradores de fundos têm oferecido um retorno extremamente pobre pelo dinheiro gasto com eles. Suas estatísticas de desempenho superior são quase sempre seguidas de períodos de desempenho aquém do esperado. Em longos períodos, quase nenhum administrador de fundos superou as médias do mercado. [...] E ao mesmo tempo eles cobram de seus clientes taxas altas pelo privilégio de perder dinheiro. [...] [Uma] lição específica [...] são os méritos do investimento indexado [...] você quase nunca achará um administrador de fundos capaz de superar repetidamente o mercado. É melhor investir em um fundo de índice que prometa um retorno de mercado com taxas significativamente menores."

• • •

É realmente incrível que tantos gigantes do mundo acadêmico, e muitos dos maiores investidores do mundo, conhecidos por superarem o mercado, confirmem e aplaudam as virtudes do investimento indexado. Que o bom senso deles, talvez ainda mais que o meu, torne vocês investidores mais sábios.

NOTA: Os leitores interessados em examinar as fontes das citações de "Não acredite apenas em mim" encontradas no fim de cada capítulo, de outras citações no texto principal e dos amplos dados que apresento pode encontrá-las em meu site: www.johncbogle.com. Eu nem sonharia consumir páginas valiosas deste livro com uma bibliografia imensa, portanto não hesite em visitar meu site.

1

Uma parábola
A família Gotrocks

MESMO ANTES DE PENSAR sobre "fundos de índice" – em sua forma mais básica, fundos mútuos que simplesmente compram ações de todas as empresas no mercado de ações americano e as mantêm para sempre –, você precisa entender como o mercado de ações realmente funciona.

Talvez esta parábola simples – minha versão de uma história contada por Warren Buffett, presidente da Berkshire Hathaway, no Relatório Anual de 2005 da empresa – esclareça quanto o vasto e complexo sistema de mercados financeiros é insensato e contraproducente.

Era uma vez...
Uma família rica de sobrenome Gotrocks – como bem mostra o nome em inglês, eles gostavam de esbanjar dinheiro. A família aumentou no decorrer das gerações até ter milhares de irmãos, irmãs, tias, tios, primas e primos, e possuía 100% de todas as ações nos Estados Unidos. A cada ano, colhia as recompensas dos investimentos: todo o crescimento dos lucros gerados por milhares de empresas e todos

os dividendos que elas distribuíam.* Cada membro da família enriquecia no mesmo ritmo e tudo era harmonioso. Seu investimento aumentava ao longo das décadas, gerando enorme riqueza. A família Gotrocks estava jogando um jogo de vencedor.

Mas, após um tempo, uns poucos "Helpers" – que vamos chamar aqui de Auxiliares –, com poder de persuasão entram em cena e persuadem alguns primos Gotrocks "espertos" de que podem ganhar uma parcela maior que a dos parentes. Esses Auxiliares convencem os primos a venderem suas ações de algumas empresas para outros membros da família e, em troca, comprarem deles ações de outras empresas. Eles cuidam das transações e, como corretores, recebem comissões por esses serviços. A propriedade é assim redistribuída entre os membros da família. Para sua surpresa, porém, a riqueza da família começa a crescer num ritmo mais lento. Por quê? Porque parte do retorno do investimento agora é consumida pelos Auxiliares e a parcela da família do generoso bolo que as empresas americanas assam a cada ano – todos os dividendos pagos, todos os lucros reinvestidos nos negócios –, que era de 100% no início, começa a diminuir.

Para piorar ainda mais as coisas, além dos impostos que a família sempre pagou sobre os dividendos, alguns de seus membros agora estão pagando também impostos sobre ganhos de capital. Suas constantes permutas de ações geram impostos sobre ganhos de capital, reduzindo ainda mais a riqueza total da família.

Os primos espertos logo percebem que seu plano, na verdade, reduziu a taxa de crescimento da riqueza da família. Eles reconhecem que sua incursão na escolha de ações foi um fracasso e concluem que precisam de auxílio profissional a fim de escolherem melhor as ações certas. Assim, contratam especialistas em escolher ações – mais Auxiliares! – para obterem uma vantagem. Esses administradores de dinheiro cobram taxas por esses serviços. Assim, quando a família

---

* Para complicar um pouco mais as coisas, a família Gotrocks também comprava as novas ofertas públicas de títulos mobiliários emitidos a cada ano. *(N. do A.)*

avalia sua riqueza um ano depois, constata que sua fatia do bolo diminuiu ainda mais.

Para piorar ainda mais as coisas, os novos administradores sentem-se compelidos a ganhar seu quinhão transacionando as ações da família em níveis frenéticos de atividade, não apenas aumentando as comissões de corretagem pagas ao primeiro conjunto de Auxiliares, mas aumentando a conta dos impostos também. Agora a antiga parcela da família de 100% do bolo dos dividendos e dos lucros reinvestidos diminuiu ainda mais.

"Bem, nós fracassamos em escolher boas ações e, quando não funcionou, também fracassamos em escolher administradores capazes de fazer isso", dizem os primos espertos. "O que faremos?" Não se intimidando com os dois fracassos anteriores, eles decidem contratar ainda mais Auxiliares. Eles atraem os melhores consultores de investimentos e planejadores financeiros que conseguem achar para aconselhá-los na seleção dos administradores certos, que com certeza escolherão as ações certas. Claro que os consultores dizem que conseguem dar conta do recado. "É só nos pagar uma taxa por nossos serviços", garantem os novos Auxiliares aos primos, "e tudo dará certo." Infelizmente, com todos esses custos adicionais, a fatia do bolo que chega às mãos da família volta a despencar.

**Livre-se de todos os seus Auxiliares.
Assim sua família voltará a obter 100% do bolo que
as empresas assam para vocês.**

Alarmada, enfim, a família se reúne e analisa os acontecimentos ocorridos desde que alguns deles começaram a tentar passar a perna nos outros. "Como é possível", perguntam, "que nossa parcela original de 100% do bolo – composta a cada ano de tantos dividendos e lucros reinvestidos – tenha caído para apenas 60%?" Seu membro mais sábio, um tio ancião, responde tranquilamente: "Todo aquele dinheiro que vocês pagaram aos Auxiliares e todos aqueles impostos extras desnecessários que estão pagando vêm direto do total de lucros reinvestidos e dividendos de nossa família. *Voltem à estaca zero imediatamente. Livrem-se de todos os seus corretores. Livrem-se de todos os seus administradores de dinheiro. Livrem-se de todos os seus consultores.* Assim nossa família voltará a colher 100% do bolo, qualquer que seja seu tamanho, que as empresas assam para nós ano após ano."

Eles seguiram o sábio conselho do velho tio, retornando à estratégia original passiva, mas produtiva, mantendo todas as ações das empresas americanas e fincando o pé.

Exatamente o que um fundo de índice faz.

... e a família Gotrocks viveu feliz para sempre

Acrescentando uma quarta lei às três leis do movimento de Sir Isaac Newton, o inimitável Warren Buffett expressa a moral dessa história nos seguintes termos: para os investidores como um todo, os retornos diminuem conforme aumenta o movimento.

Por mais exata que seja essa afirmação enigmática, eu acrescentaria que a parábola reflete o conflito de interesses profundo entre aqueles que trabalham no setor de investimentos e aqueles que investem em ações e títulos de dívida. O caminho até a riqueza para aqueles no negócio é persuadir seus clientes: *"Não fique aí parado. Faça algo."* Mas o caminho até a riqueza para seus clientes como um todo é seguir a máxima oposta: *"Não faça algo. Fique aí parado."* Pois essa é a única forma de evitar o jogo de perdedor de tentar superar o mercado.

Quando um negócio é realizado de uma forma que desafia diretamente os interesses de seus clientes no conjunto, é uma questão de tempo até que os clientes despertem para a realidade. Aí a mudança vem – e essa mudança está impulsionando a revolução no sistema financeiro americano atualmente.

A moral da história dos Gotrocks: o investimento de sucesso consiste em possuir empresas e colher as enormes recompensas proporcionadas pelos dividendos e pelo crescimento das empresas. *Quanto maior o nível de sua atividade de investimentos, maior o custo da intermediação financeira e dos impostos, e menor o retorno líquido que os acionistas – como um grupo, os proprietários das empresas americanas – recebem.* Quanto menores os custos contraídos pelos investidores como um grupo, maiores as recompensas colhidas. Assim, para desfrutar os retornos vitoriosos gerados pelas empresas no longo prazo, o investidor inteligente reduzirá ao mínimo possível os custos de intermediação financeira. É o que o bom senso nos informa. É nisso que consiste a indexação. E é essa a mensagem central deste livro.

NÃO ACREDITE APENAS EM MIM

Ouça **Jack R. Meyer**, ex-presidente da Harvard Management Company, o mago notadamente bem-sucedido que triplicou o fundo de doações da Universidade Harvard de 8 bilhões de dólares para 27 bilhões. Eis o que ele tinha a dizer em uma entrevista de 2004 à *BusinessWeek*: "O negócio dos investimentos é uma fraude gigantesca. A maioria das pessoas pensa que consegue achar administradores capazes de apresentar um desempenho superior, mas a maioria delas está errada. Eu digo que 85% a 90% dos administradores não conseguem atingir seus benchmarks. Como os administradores têm taxas e arcam com custos de transações, você sabe que no todo eles estão minimizando o valor."

Quando indagado se investidores privados podem tirar alguma lição do que Harvard faz, Meyer respondeu: "Sim. Primeiro, diversifique. Crie uma carteira que cubra várias classes de ativos. Segundo, é preciso manter as taxas baixas. O que significa evitar os fundos mais badalados, mas caros, em favor de fundos de índice de baixo custo. E, por fim, invista a longo prazo. [Os investidores] deveriam simplesmente ter fundos de índice para manter suas taxas baixas e seus impostos reduzidos. *Não há dúvida quanto a isso."*

• • •

Em termos um pouco menos incisivos, o professor de Princeton **Burton G. Malkiel**, autor de *A Random Walk Down Wall Street* (Um passeio aleatório por Wall Street), expressa esses pontos de vista: "Os fundos de índice têm produzido regularmente taxas de retorno [anuais] que superam as dos administradores ativos em quase 2 pontos percentuais. A administração ativa como um todo não consegue obter retornos brutos acima do mercado como um todo e, portanto, precisa, em média, reduzir o montante das despesas e dos custos de transações de seus índices.

"A experiência mostra conclusivamente que compradores de fundos de índice tendem a obter resultados acima daqueles dos administradores de fundos típicos, cujas altas taxas de consultoria e substancial rotatividade da carteira tendem a reduzir os rendimentos dos investimentos. […] O fundo de índice é um método sensato e útil para obter a taxa de retorno do mercado sem absolutamente nenhum esforço e com despesas mínimas."

2

Exuberância racional

Os ganhos dos acionistas precisam corresponder aos ganhos da empresa.

A PARÁBOLA MARAVILHOSA da família Gotrocks nos faz ver a realidade essencial dos investimentos: "O máximo que os proprietários como um todo conseguem ganhar entre agora e o Juízo Final é o que suas empresas como um todo ganham", nas palavras de Warren Buffett.

Ilustrando o fato com a Berkshire Hathaway, a empresa de capital aberto que ele administra há 46 anos, preste atenção na afirmação de Buffett:

> Quando a ação fica temporariamente além ou aquém do desempenho da empresa, um número limitado de acionistas – sejam vendedores ou compradores – recebe benefícios incomuns à custa daqueles com quem transacionam. [...] Com o tempo, os ganhos agregados dos acionistas da Berkshire precisam necessariamente corresponder aos ganhos da empresa.

> "Com o tempo, os ganhos agregados dos acionistas da Berkshire precisam necessariamente corresponder aos ganhos da empresa."

Com que frequência os investidores perdem de vista esse eterno princípio! No entanto, os dados são claros.

A história, se nos déssemos ao trabalho de examiná-la, revela a notável, se não essencial, ligação entre os retornos cumulativos de longo prazo obtidos pelas empresas americanas – o rendimento dos dividendos anuais mais a taxa anual de crescimento dos lucros reinvestidos – e os retornos cumulativos obtidos pelo mercado de ações. Pense nessa certeza por um instante.

Percebe que é uma simples questão de bom senso?

Precisa de prova? Basta olhar o histórico desde o início do século XX (Figura 2.1, na página seguinte). O retorno total anual médio das ações foi de 9,5%. O retorno do *investimento* sozinho foi de 9,0% – 4,4% de rendimento dos dividendos e 4,6% de crescimento dos lucros reinvestidos.

Essa diferença de 0,5 ponto percentual por ano surgiu do que eu denomino retorno *especulativo*. O retorno especulativo pode ser positivo ou negativo, dependendo da disposição dos investidores de, no fim de determinado período, pagarem por cada dólar de lucro preços maiores ou menores do que no início.

O índice preço/lucro (P/L) mede o número de dólares que os investidores estão dispostos a pagar por cada dólar de lucro. À medida que a confiança do investidor aumenta e diminui, os índices P/L sobem e caem.*

---

* Mudanças nas taxas de juros também têm impacto, embora possa ser desigual, sobre o índice P/L. Portanto, estou simplificando. *(N. do A.)*

FIGURA 2.1 Retorno do investimento versus retorno do mercado
Crescimento de US$1, 1900-2016

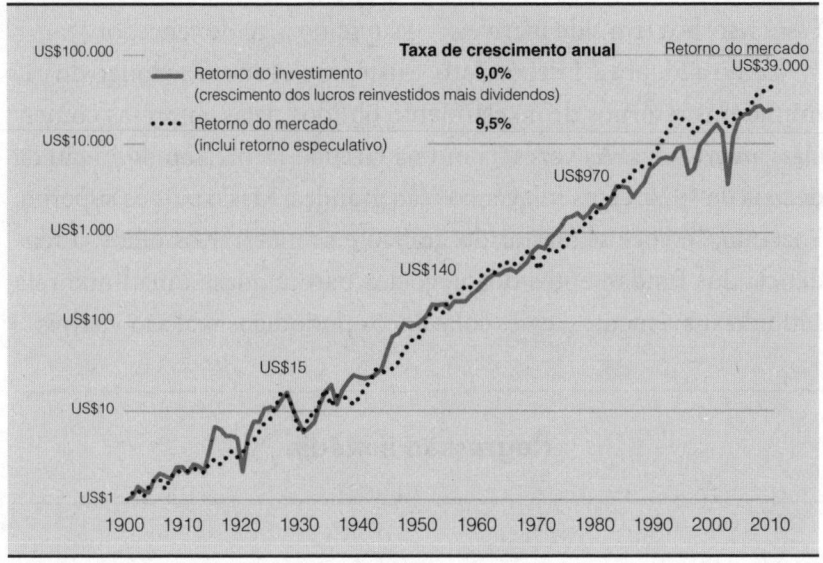

Quando a ganância domina, os P/Ls tendem a ser muito altos. Quando a esperança prevalece, os P/Ls são moderados. Quando o medo está no controle, os P/Ls são tipicamente muito baixos. Várias vezes, oscilações nas emoções dos investidores refletem-se no retorno especulativo. Elas solapam momentaneamente a tendência ascendente de longo prazo uniforme na economia dos investimentos.

Como refletido na Figura 2.1, o retorno do investimento em ações – dividendos mais lucros reinvestidos – acompanha de perto o retorno do mercado total (incluindo o impacto do retorno especulativo) no longo prazo. Quaisquer divergências significativas entre os dois são efêmeras.

A capitalização desses retornos ao longo de 116 anos gera acúmulos realmente desconcertantes. Cada dólar inicialmente investido em ações em 1900 a um retorno de 9,5% aumentou, até o fim de 2015, para 43.650

dólares.* É bem verdade que poucos de nós vivemos 116 anos (se é que alguém vive)! Mas nossos descendentes nos sucedem e, à semelhança da família Gotrocks, usufruem o milagre dos retornos capitalizados. Esses retornos têm sido incríveis – o supremo jogo de vencedor.

Como a Figura 2.1 deixa claro, existem solavancos ao longo do caminho nos retornos de investimento obtidos pelas empresas comerciais americanas. Às vezes, como na Grande Depressão do início da década de 1930, esses solavancos são grandes. Mas o país os superou. Portanto, se você se afastar do gráfico e semicerrar os olhos, a tendência dos fundamentos dos negócios parece quase uma linha reta subindo suavemente e esses solavancos periódicos mal são visíveis.

Regressão à média

Sem dúvida, os retornos do mercado de ações às vezes vão bem além dos fundamentos das empresas (como no fim da década de 1920, início da década de 1970, fim da década de 1990 e talvez até hoje). Mas tem sido apenas uma questão de tempo para que, como que atraídos por um ímã, eles acabem voltando à norma de longo prazo, embora muitas vezes apenas após ficarem bem para trás por um tempo, como as baixas do mercado de meados da década de 1940, fim da década de 1970 e em 2003. Trata-se da regressão à média, que discutiremos em profundidade no Capítulo 11.

Em nosso foco insensato nas distrações momentâneas do mercado de ações de curto prazo, nós, investidores, muitas vezes ignoramos esse longo histórico. Quando os retornos das ações se afastam

---

* Mas sejamos justos: se capitalizamos esse 1 dólar inicial não ao retorno *nominal* de 9,5%, mas à taxa *real* de 6,3% (após tirar a inflação de 3,2% no período), 1 dólar aumenta para 1.339, uma fração do acúmulo em termos nominais. Ainda assim, um aumento real da riqueza de mais de 1.300 vezes não é para ser desprezado. *(N. do A.)*

substancialmente da norma de longo prazo, ignoramos a realidade de que isso raramente se deve à *economia* dos investimentos – o crescimento dos lucros reinvestidos e dos rendimentos dos dividendos das empresas. Pelo contrário, essa volatilidade dos retornos anuais das ações se deve em grande parte às *emoções* dos investimentos, refletidas nesses índices P/L mutáveis.

> **"É perigoso [...] aplicar ao futuro argumentos indutivos com base na experiência passada."**

O que a Figura 2.1 mostra é que, embora os preços que pagamos pelas ações muitas vezes percam o contato com a realidade dos valores empresariais, *no longo prazo a realidade é que manda*. Assim, embora os investidores pareçam intuitivamente aceitar que o passado é o prólogo inevitável do futuro, todos os retornos do mercado de ações que tenham incluído um alto componente de retorno especulativo de ações são guias profundamente falhos para o que vem à frente. Para entender por que os retornos passados não preveem o futuro, precisamos apenas ouvir as palavras de lorde John Maynard Keynes, grande economista britânico. Eis o que ele escreveu mais de 80 anos atrás (1936):

> É perigoso [...] aplicar ao futuro argumentos indutivos com base na experiência passada, a não ser que se consigam distinguir as razões amplas pelas quais a experiência do passado foi como foi.

Mas, se *conseguimos* distinguir as razões pelas quais o passado foi como foi, podemos criar expectativas razoáveis sobre o futuro. Keynes nos ajudou a fazer essa distinção observando que o estado da expectativa de longo prazo sobre ações é uma combinação de empreendimento ("prever o rendimento esperado de ativos por toda a sua vida") e especulação ("prever a psicologia do mercado").

Estou bem familiarizado com essas palavras, porque 66 anos atrás eu as incorporei ao meu trabalho de graduação na Universidade de Princeton. O título era "O papel econômico da empresa de investimentos". Ele me levou, providencialmente, à minha carreira vitalícia no setor de fundos mútuos.

A natureza dupla dos retornos do mercado de ações

Essa natureza dupla dos retornos reflete-se claramente quando olhamos os retornos do mercado de ações no decorrer das décadas (Figura 2.2). Pondo meus números na ideia de Keynes, divido os retornos do mercado de ações em duas partes: (1) *retorno do investimento* (empreendimento), que consiste no total dos dividendos das ações mais lucros reinvestidos (juntos formam a essência do que chamamos "valor intrínseco") e (2) *retorno especulativo*, o impacto de índices preço/lucro mutáveis sobre os preços das ações. Comecemos com os retornos do investimento.

A seção superior da Figura 2.2 mostra o retorno do investimento anual médio das ações em cada uma das décadas desde 1900 até 2016. Observe primeiro a contribuição uniforme dos rendimentos dos dividendos para o retorno total durante cada década: sempre positiva, somente duas vezes fora da faixa dos 3% a 7%, e em média de 4%.

Depois, observe que a participação dos lucros reinvestidos no retorno do investimento, com exceção da década de 1930 assolada pela depressão, foi positiva em cada década e acima de 9% em várias décadas, mas geralmente ficou entre 4% e 7%, com média de 4,6% ao ano.

Resultado: os retornos totais do investimento (a seção superior, que combina o rendimento dos dividendos e os lucros reinvesti-

FIGURA 2.2 Retornos totais das ações por década, 1900-2016
(Porcentagem anual)

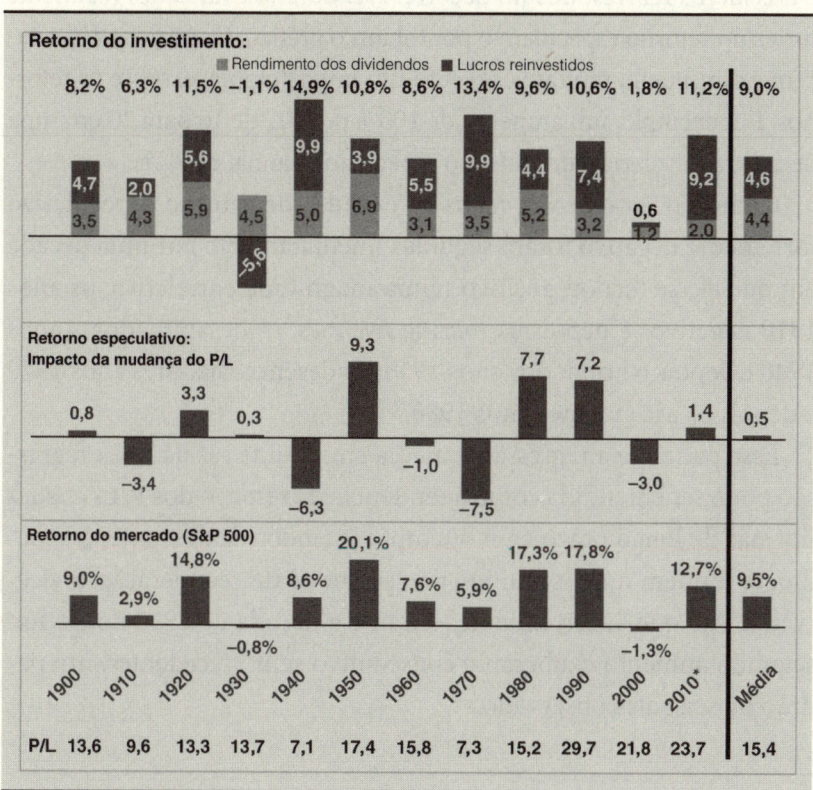

* Até 2016. Os P/Ls ao fim de cada década estão anotados acima. O P/L de 1900 foi de 12,5.

dos) foram negativos em apenas uma década (de novo, na década de 1930). Embora esses retornos totais do investimento de uma década – os ganhos obtidos pelas empresas – tenham variado, considero-os notadamente estáveis. Eles geralmente ficaram entre 8% e 13% ao ano e a média foi de 9%.

Entra em cena o retorno especulativo.

Entra em cena o retorno especulativo, mostrado na seção do meio da Figura 2.2. Em comparação com a relativa regularidade dos dividendos e dos lucros reinvestidos no decorrer das décadas, variações realmente fortes no retorno especulativo pontilham o gráfico. Os índices P/L crescem e diminuem, muitas vezes com um impacto notável sobre os retornos. Por exemplo, um aumento de 100% no P/L, de 10 para 20 em uma década, equivaleria a um retorno especulativo anual de 7,2%.

Como você pode ver, *todas* as décadas de retorno especulativo fortemente negativo foram seguidas imediatamente por uma década em que ele se tornou positivo numa magnitude correlativa: os anos 1910 negativos e depois os *roaring twenties*; os desanimadores anos 1940 e depois o boom dos anos 1950; os desencorajadores anos 1970 e depois os ascendentes anos 1980.

Esse padrão é a regressão à média em grande escala. Essa regressão pode ser entendida como a tendência de retorno dos P/Ls às suas normas de longo prazo com o tempo. Períodos de desempenho medíocre tendem a ser seguidos por períodos de recuperação e vice--versa. Até que, incrivelmente, durante a década de 1990 houve um segundo aumento exuberante consecutivo sem precedentes, um padrão nunca antes observado.

Um retorno à sensatez

Em abril de 1999, o índice P/L havia ascendido a um nível inédito de 34, preparando o terreno para o retorno à sensatez nas avaliações que logo sucederam. O tombo nos preços do mercado de ações nos deu a punição merecida. Com os lucros continuando a crescer, o P/L fica próximo de 20,[1] comparado com o nível

---

[1] O mesmo ocorria em maio de 2020: P/L de 24,7. A medição baseia-se no índice S&P 500 em relação aos *lucros informados* nos últimos 12 meses, segundo a agência Dow Jones Newswires. *(N. do E.)*

de 15 predominante no início do século XX. Como resultado, o retorno especulativo acrescentou apenas 0,5 ponto percentual ao retorno anual do investimento obtido pelas empresas americanas no longo prazo.

Combinação do retorno do investimento e do retorno especulativo: retorno total do mercado de ações

Quando combinamos essas duas fontes de retorno das ações, obtemos o retorno total produzido pelo mercado de ações (a seção inferior da Figura 2.2).

Apesar do enorme impacto do retorno especulativo – para cima e para baixo – durante a maioria das décadas individuais, praticamente *não há* impacto no longo prazo. O retorno total anual médio de 9,5% das ações até 2016, então, foi criado quase inteiramente pelo *empreendimento*, com apenas 0,5 ponto percentual criado pela *especulação*.

A mensagem é clara: no longo prazo, os retornos das ações dependem quase inteiramente da realidade dos retornos do investimento obtidos pelas empresas americanas. A percepção dos investidores, refletida nos retornos especulativos, conta pouco. É a economia que controla os retornos de longo prazo sobre o patrimônio líquido. O impacto das emoções, tão dominante no curto prazo, se dissolve.

Prever com exatidão as oscilações de curto prazo nas emoções dos investidores não é possível. Mas prever a economia dos investimentos no longo prazo tem tido chances notadamente altas de sucesso.

Mesmo após mais de 66 anos nessa área, quase não tenho ideia de como prever essas oscilações de curto prazo nas emoções dos investidores.* Mas, em grande parte porque a matemática de investir é tão básica, tenho conseguido prever a economia dos investimentos no longo prazo com chances notadamente altas de sucesso.

Por quê? Simplesmente porque são os retornos do *investimento* – os lucros reinvestidos e dividendos gerados pelas empresas americanas – que são quase inteiramente responsáveis pelos retornos oferecidos pelo mercado de ações americano no longo prazo. Embora a ilusão (os preços momentâneos que pagamos pelas ações) com frequência perca o contato com a realidade (os valores intrínsecos das empresas americanas), é a realidade que governa no longo prazo.

O mercado real e o mercado das expectativas

Para entender esse ponto, pense no investimento como algo que consiste em dois jogos diferentes. Eis como Roger Martin, diretor da Rotman School of Management da Universidade de Toronto, descreve ambos. Um jogo é "o mercado *real*, onde gigantescas empresas de capital aberto competem. Onde empresas reais gastam dinheiro real para produzir e vender produtos e serviços reais e, se competirem com habilidade, ganhar lucros reais e pagar dividendos reais. Esse jogo também requer estratégia, determinação e expertise reais; inovação real e presciência real". Vagamente associado a esse está outro jogo: o mercado das *expectativas*. Nele, "os preços não são fixados

---

* Não sou o único. Não conheço ninguém que tenha feito isso sistematicamente, nem ninguém que conheça alguém que o tenha feito. Na verdade, nem com 70 anos de pesquisas financeiras se acha alguém que o tenha feito. *(N. do A.)*

por coisas reais como margens de vendas ou lucros. No curto prazo, os preços das ações sobem somente quando as expectativas dos investidores aumentam, não necessariamente quando as vendas, as margens ou os lucros aumentam".

O mercado de ações é uma grande distração para o negócio dos investimentos.

A essa distinção crucial eu gostaria de acrescentar que o mercado das expectativas é, em grande parte, produto das expectativas dos *especuladores*, que tentam adivinhar o que outros investidores esperarão e como agirão à medida que cada informação nova chega ao mercado. *O mercado das expectativas consiste em especulação. O mercado real consiste em investimentos. O mercado de ações, então, é uma grande distração para o negócio dos investimentos.*

Com frequência, o mercado leva os investidores a enfocar expectativas de curto prazo, transitórias e voláteis, em vez daquilo que realmente importa: o acúmulo gradual dos retornos obtidos pelas empresas.

Quando Shakespeare escreveu "é uma história contada por um idiota, cheia de som e fúria, que não significa nada", poderia estar descrevendo as inexplicáveis oscilações diárias, mensais ou mesmo anuais nos preços das ações. Meu conselho aos investidores: ignorem o som e a fúria de curto prazo das emoções refletidas nos mercados financeiros e se concentrem na economia produtiva de longo prazo das empresas. O caminho para o sucesso nos investimentos é sair do mercado das expectativas para os preços das ações e fazer sua aposta no mercado real das empresas.

NÃO ACREDITE APENAS EM MIM

Simplesmente preste atenção à distinção atemporal feita por **Benjamin Graham**, investidor lendário, autor de O investidor inteligente e mentor de Warren Buffett. Ele estava certo sobre o dinheiro quando apontou o dedo para a realidade essencial dos investimentos: *"No curto prazo, o mercado de ações é uma máquina de votar [...] no longo prazo, é uma máquina de pesar."*

Usando sua maravilhosa metáfora do "Sr. Mercado", Ben Graham diz: "Imagine que em uma empresa privada você detém uma pequena participação que lhe custou mil dólares. Um de seus parceiros, chamado Sr. Mercado, é bem prestativo. Todo dia ele conta quanto acha que vale sua participação e, ainda por cima, se oferece para comprá-la de você ou vender-lhe uma participação adicional com base nisso. Às vezes, a ideia de valor dele parece plausível e justificada pela evolução e pelas perspectivas da empresa conforme você conhece. Com frequência, por outro lado, o Sr. Mercado deixa-se dominar por seu entusiasmo ou seus temores e o valor que ele propõe parece quase idiota.

"Se você for um investidor prudente, [...] deixará a comunicação diária do Sr. Mercado determinar sua ideia do valor de sua participação de mil dólares na empresa? Só se você concordar com ele ou se quiser negociar com ele. [...] Mas, no resto do tempo, você terá a sabedoria de formar ideias próprias sobre o valor de suas posses. [...] O verdadeiro investidor [...] se sairá melhor *se esquecer o mercado de ações e prestar atenção aos seus retornos em dividendos e aos resultados operacionais de suas empresas* (grifo meu). [...]

"O investidor com uma carteira de ações sólidas deveria esperar que seus preços flutuem e não deveria se preocupar com declínios consideráveis nem se empolgar com aumentos consideráveis. Deveria sempre lembrar que as cotações do mercado existem para sua conveniência, seja para tirar proveito delas ou para ignorá-las."

3

Faça sua aposta nos negócios

Vença mantendo as coisas simples – confie na navalha de Occam.

COMO VOCÊ FAZ suas apostas nos negócios? Simplesmente comprando uma carteira que possua ações de todas as empresas nos Estados Unidos e mantendo-a para sempre. Esse conceito simples garante que você vencerá o jogo do investimento jogado pela maioria dos outros investidores, que – como um grupo – estão fadados a perder.

Não ache que simplicidade é o mesmo que estupidez. Muito tempo atrás, em 1320, Guilherme de Occam expressou belamente a virtude da simplicidade, em essência expondo este preceito: quando existem várias soluções para um problema, escolha a mais simples.* E assim a *navalha de Occam* passou a representar um importante princípio da investigação científica. De longe, o modo mais simples de possuir todas as empresas americanas é conservar a carteira total do mercado de ações ou seu equivalente.

---

* Guilherme de Occam expressou-se de maneira mais elegante: "As entidades não devem ser multiplicadas desnecessariamente." Mas a ideia é inconfundível. *(N. do A.)*

Navalha de Occam: Quando existem várias soluções para um problema, escolha a mais simples.

Nos últimos 90 anos, a carteira do mercado de ações aceita tem sido representada pelo S&P 500. Ele foi criado em 1926 como o Índice Composto e agora contém 500 ações.* Compõe-se essencialmente das 500 maiores empresas americanas, ponderadas pelo valor de suas capitalizações de mercado. Nos últimos anos, essas 500 ações têm representado cerca de 85% do valor de mercado de todas as ações americanas. A beleza desse índice *ponderado pela capitalização de mercado* é que ele nunca precisa ser reequilibrado pela compra e venda de ações por causa da alteração de preços.

Com o enorme crescimento dos fundos de pensão corporativos entre 1950 e 1990, o S&P 500 foi um padrão de medição ideal, o benchmark (ou *taxa de retorno mínima*) que seria o padrão comparativo do desempenho dos gestores profissionais dos fundos de pensão. Atualmente, o S&P 500 permanece um padrão válido em relação ao qual comparar os retornos obtidos pelos gestores profissionais de fundos de pensão e fundos mútuos.

O Índice Total do Mercado de Ações

Em 1970, um indicador ainda mais abrangente do mercado de ações americano foi desenvolvido. Originalmente chamado Wilshire 5000, tem agora o nome de Índice Total Dow Jones Wilshire do Mercado de Ações.** Em 2017, inclui cerca de 3.599 ações, abrangendo as

---

* Até 1957, o índice S&P incluía apenas 90 empresas. *(N. do A.)*
** Uma informação: a Vanguard criou o primeiro fundo mútuo de índice monitorando o

500 ações do S&P 500. Como as ações que o compõem também são ponderadas por sua capitalização de mercado, as 3.099 ações restantes com capitalizações menores representam apenas cerca de 15% do seu valor.

Esse é o mais amplo de todos os índices de ações americanos e o melhor indicador do valor agregado das ações, portanto um indicador esplêndido dos retornos auferidos em ações americanas por todos os investidores como um grupo. Como mostramos, os dois índices contêm as mesmas ações das grandes empresas. A Figura 3.1 mostra as 10 maiores ações em cada e seu peso na construção de cada índice.

FIGURA 3.1 S&P 500 vs. Índice Total do Mercado de Ações: Comparação de Carteiras, dezembro de 2016

S&P 500		Índice Total do Mercado de Ações	
Classificação	Peso	Classificação	Peso
Apple	3,2%	Apple	2,5%
Microsoft	2,5%	Microsoft	2,0%
Alphabet	2,4%	Alphabet	2,0%
Exxon Mobil	1,9%	Exxon Mobil	1,6%
Johnson & Johnson	1,6%	Johnson & Johnson	1,3%
Berkshire Hathaway	1,6%	Berkshire Hathaway	1,3%
JPMorgan Chase & Co	1,6%	JPMorgan Chase & Co	1,3%
Amazon	1,5%	Amazon	1,3%
General Electric	1,4%	General Electric	1,2%
Facebook	1,4%	Facebook	1,1%
10 maiores	19,1%	10 maiores	15,6%
25 maiores	33,3%	25 maiores	27,3%
100 maiores	63,9%	100 maiores	52,9%
500 maiores	100,0%	500 maiores	84,1%
Capitalização total de mercado	US$19,3 trilhões		US$22,7 trilhões

S&P 500 em 1975. A empresa também criou o primeiro Fundo Indexado Total do Mercado de Ações em 1992. *(N. do A.)*

Dada a semelhança entre essas duas carteiras, quase não surpreende que os dois índices tenham obtido retornos que estão em sintonia.

O Center for Research in Security Prices da Universidade de Chicago retrocedeu até 1926 e calculou os retornos obtidos por todas as ações americanas. Os retornos do S&P 500 e do Índice Total Dow Jones Wilshire do Mercado de Ações correspondem entre si de maneira quase precisa. Desde 1926, o início do período de medição, até 2016, mal dá para distingui-los (Figura 3.2).

Para o período inteiro, o retorno anual médio do S&P 500 foi de 10,0%. Já o retorno do Índice Total do Mercado de Ações foi de 9,8%. Essa comparação é o que chamamos de *dependente do período* – tudo depende da data inicial e da data final. Se fôssemos começar a comparação no início de 1930 em vez de em 1926, os retornos dos dois seriam idênticos: 9,6% ao ano.

FIGURA 3.2 S&P 500 e Índice Total do Mercado de Ações, 1926-2016

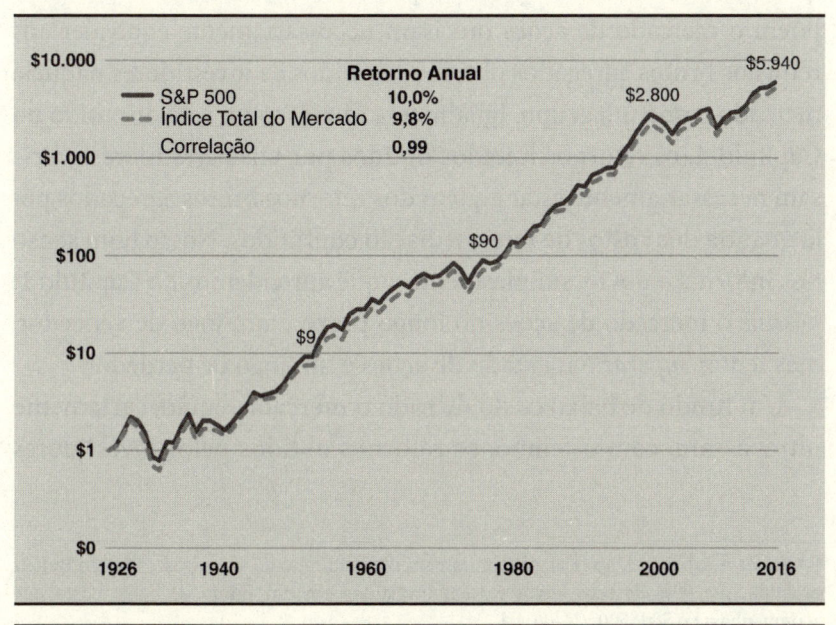

Sim, existem variações nos períodos intermediários: o S&P 500 foi bem mais forte de 1982 a 1990, quando seu retorno anual de 15,6% ultrapassou o retorno do Índice Total do Mercado de Ações de 14,4%. Mas, desde então, ações de capitalização baixa e média saíram-se um pouco melhor e o retorno do Índice Total do Mercado de Ações de 10,2% ao ano excedeu por uma pequena margem o retorno de 9,9% do S&P 500. Mas, com uma correlação de longo prazo de 0,99 entre os retornos dos dois índices (1,00 é uma correlação perfeita), há pouco que escolher entre os dois.*

Os retornos obtidos no mercado de ações precisam equivaler aos retornos brutos obtidos por todos os investidores no mercado.

Qualquer que seja o indicador que usamos, agora deve estar óbvio que os retornos obtidos pelas empresas de capital aberto que compõem o mercado de ações precisam necessariamente equivaler aos retornos brutos agregados obtidos por todos os investidores naquele mercado como um grupo. Igualmente óbvio, como será discutido no Capítulo 4, os retornos líquidos obtidos por tais investidores precisam necessariamente estar aquém dos retornos brutos agregados pela quantia dos custos de intermediação contraídos. Nosso bom senso nos informa o óbvio, simplesmente o que aprendemos no Capítulo 1: *possuir* o mercado de ações no longo prazo é um jogo de vencedor, mas tentar *superar* o mercado de ações é um jogo de perdedor.

Um fundo de baixo custo de todo o mercado, então, certamente ultrapassará, com o tempo, os retornos obtidos pelos investidores

---

* Você deve saber que, ao criar um fundo para o patrimônio de sua esposa, Warren Buffett orientou que 90% de seus ativos fossem investidos em um fundo de baixo custo que acompanhasse o S&P 500. *(N. do A.)*

em ações como um grupo. Uma vez que você reconheça esse fato, consegue ver que o fundo de índice vencerá não apenas no decorrer do tempo, mas a cada ano, e a cada mês e semana, até a cada minuto do dia.

Não importa se o período é longo ou curto, o retorno bruto no mercado de ações, menos os custos de intermediação, equivale ao retorno líquido obtido pelos investidores como um grupo. Se os dados não provam que a indexação vence, bem, os dados estão errados.

> **"Se os dados não provam que a indexação vence, bem, os dados estão errados."**

No curto prazo, porém, nem sempre parece que o S&P 500 (ainda a base de comparação mais comum para fundos mútuos e fundos de pensão) ou o Índice Total do Mercado de Ações estejam ganhando. Isso acontece porque não existe uma forma possível de calcular precisamente os retornos obtidos pelos milhões de participantes diversos, amadores e profissionais, americanos e estrangeiros, no mercado de ações dos Estados Unidos.

No campo dos fundos mútuos, calculamos os resultados dos diversos fundos contando cada um – independentemente do montante de seus ativos – como um item isolado. Como existem muitos fundos de baixa e média capitalização, em geral com bases de ativos relativamente modestas, às vezes eles podem ter um impacto desproporcional sobre os dados.

Quando fundos de baixa e média capitalização estão liderando o mercado total, o fundo de índice de todo o mercado parece ficar para trás. Quando ações de baixa e média capitalização estão ficando para trás no mercado, o fundo de índice parece realmente formidável.

Fundos ativos vs. índices de benchmark

A solução óbvia para o desafio de comparar todos os tipos de fundo de ações ativo com o S&P 500 é compará-los a outros índices que reflitam mais de perto suas estratégias de investimento. Alguns anos atrás, o relatório Índices S&P vs. Ativo (SPIVA – *S&P Indexes vs. Active*) começou a fazer exatamente isso. O relatório fornece dados abrangentes, comparando fundos mútuos ativos, agrupados por diferentes estratégias, com índices de mercado pertinentes. No relatório do fim do ano de 2016, o SPIVA estendeu o horizonte de tempo mais longo avaliado no relatório para 15 anos (2001-2016) e informou a porcentagem de fundos ativamente geridos com desempenho aquém de seus índices de benchmark pertinentes. Os resultados foram impressionantes (Figura 3.3). Em média, estonteantes 90% dos fundos mútuos ativamente geridos ficaram aquém de seus índices de benchmark nos 15 anos precedentes. A superioridade do índice foi sistemática e esmagadora.

O S&P 500 superou 97% dos fundos *core* de alta capitalização ativamente geridos. Os índices S&P 500 de Crescimento e Valor são usados como comparações para fundos naquelas categorias de alta capitalização, assim como para as três categorias de média capitalização e as três de baixa capitalização. A superioridade ampla

FIGURA 3.3 Porcentagem de fundos mútuos ativamente geridos que ficaram aquém do Índice S&P e semelhantes, 2001-2016

Categoria do fundo	Crescimento	*Core*	Valor
Alta capitalização	95%	97%	79%
Média capitalização	97%	99%	90%
Baixa capitalização	99%	95%	81%

e geral dos índices não deixa muita dúvida de que os fundos de índice vieram para ficar.

Em 1951, escrevi em meu trabalho de graduação em Princeton que os fundos mútuos "não podem alegar superioridade em relação às médias do mercado". Sessenta anos depois, está claro que o problema é ainda mais grave.

O desempenho de um investidor no primeiro fundo mútuo de índice: 15 mil dólares investidos em 1976; valor em 2016: 913.340 dólares

A época recente não apenas não conseguiu erodir como melhorou bem o desempenho vitalício do primeiro fundo de índice do mundo – agora conhecido como Fundo de Índice Vanguard 500. Ele começou suas operações em 31 de agosto de 1976.

Para ser específico: num almoço em 20 de setembro de 2016, comemorando o 40º aniversário da oferta pública inicial do fundo, o assessor jurídico dos subscritores do fundo informou que havia comprado mil ações ao preço original da oferta de 15 dólares por ação – um investimento de 15 mil dólares. Ele anunciou com orgulho o valor de sua participação naquele dia (incluindo as ações adquiridas pelo reinvestimento dos dividendos e das distribuições em ações adicionais ao longo dos anos do fundo): 913.340 dólares.*

Ora, esse é um número impressionante. Mas exige advertência e cautela.

---

* Esse investidor pagou separadamente os impostos devidos sobre distribuições de dividendos e ganhos de capital. *(N. do A.)*

A advertência e a cautela

A advertência: dos 360 fundos mútuos de ações existentes quando o primeiro fundo de índice foi formado, em 1976, somente 74 permanecem. Os fundos ativamente geridos surgem e desaparecem, mas o fundo de índice persiste para sempre.

A cautela: durante esse período de quatro décadas, o S&P 500 cresceu a uma taxa anual de 10,9%. Com os atuais rendimentos mais baixos dos dividendos, a perspectiva de menor crescimento dos lucros e avaliações agressivas do mercado, seria insensato ao extremo pressupor que esse retorno se repetirá nas quatro décadas seguintes. Ver Capítulo 9, "Quando os bons tempos terminam".

O desempenho do passado confirma que possuir empresas americanas por meio de um fundo de índice amplamente diversificado não apenas é lógico, como também, no mínimo, incrivelmente produtivo. Além do mais, isso é coerente com o antigo princípio da simplicidade expresso por Guilherme de Occam: em vez de aderir à multidão de investidores que lidam com algoritmos complexos ou outras maquinações para escolher ações, ou que examinam o desempenho passado para selecionar fundos mútuos, ou que tentam passar a perna no mercado de ações (para investidores no conjunto, três tarefas inevitavelmente infrutíferas), escolha a mais simples das soluções: compre e conserve uma carteira diversificada e de baixo custo que acompanhe o mercado de ações.

NÃO ACREDITE APENAS EM MIM

Ouça **David Swensen**, o respeitadíssimo diretor de investimentos (CIO) do Fundo de Doações da Universidade Yale. "[Nos 15 anos encerrados em 1998], minúsculos 4% dos fundos [mútuos] produziram resultados, descontando o imposto de renda, superiores ao mercado, com uma margem de ganho [anual] de escassos 0,6%. Os 96% dos fundos que não conseguem igualar ou superar o Fundo de Índice Vanguard 500 perdem por uma margem destruidora de riqueza de 4,8% ao ano."

• • •

A solução simples do fundo de índice é usada não apenas por investidores de recursos medianos. Ela tem sido adotada como uma referência de estratégia de investimento por muitos dos fundos de pensão dos Estados Unidos operados pelas gigantescas corporações e pelos governos estaduais e locais. A indexação também é a estratégia predominante do maior de todos os planos: o plano de aposentadoria dos funcionários do governo federal dos Estados Unidos, Thrift Savings Plan (TSP). Em 2020, o plano detém cerca de 594 bilhões de dólares em ativos para benefício dos funcionários públicos e membros das forças armadas americanas. Todas as contribuições e lucros têm os impostos diferidos até a retirada, à semelhança dos planos de aposentadoria.*

---

* O TSP também oferece contribuições Roth, que são tratadas de maneira semelhante aos planos de previdência Roth para fins tributários. As contribuições Roth são feitas com a renda já descontados os impostos, mas todo crescimento subsequente é completamente isento de impostos. *(N. do A.)*

• • •

A indexação também é elogiada do outro lado do Atlântico. Ouça estas palavras de **Jonathan Davis**, colunista do *The Spectator* londrino: "Nada realça melhor a lacuna constante entre a retórica e a substância nos serviços financeiros britânicos do que a incapacidade dos provedores daqui de emular o sucesso do fundo de índice de John Bogle nos Estados Unidos. Todos os profissionais da City sabem que os fundos de índice deveriam ser os elementos básicos da carteira de qualquer investidor de longo prazo. Desde 1976, o Fundo de Índice Vanguard tem gerado um retorno anual composto de 12%, melhor do que três quartos de seu grupo de iguais. No entanto, mesmo 30 anos depois, a ignorância e o segredo profissional ainda impedem que mais investidores colham os frutos desse herói não celebrado do mundo dos investimentos."

4

Como a maioria dos investidores transforma um jogo de vencedor em um jogo de perdedor

"As regras implacáveis da humilde matemática"

ANTES DE NOS VOLTARMOS para o sucesso da indexação como estratégia de investimento, vamos explorar um pouco mais profundamente por que os investidores como um grupo não conseguem ganhar os retornos gerados pelas empresas americanas por meio de seus dividendos e do crescimento dos lucros, que se refletem em última análise nos preços das ações. Por quê? Porque os investidores como um grupo precisam ganhar exatamente o retorno do mercado *antes que os custos dos investimentos sejam deduzidos*.

Quando subtraímos esses custos de intermediação financeira – todas as taxas de administração, toda a rotatividade da carteira, todas as comissões de corretagem, todas as comissões de vendas, todos os custos de publicidade, todos os custos operacionais, todos os impostos incidentes –, os retornos dos investidores como um grupo necessariamente ficam aquém do retorno do mercado por uma quantia exatamente igual à quantia agregada desses custos. *Eis a realidade simples e inegável dos investimentos.*

Em um mercado que retorna 7% em determinado ano, nós, os investidores, juntos obtemos um retorno bruto de 7%. (Não diga!) Mas, após remunerarmos nossos intermediários financeiros, embolsamos somente o que sobra. (E os remuneramos quer nossos retornos sejam positivos, quer sejam negativos!)

Antes de descontar os custos, superar o mercado é um jogo de soma zero. Após descontar, é um jogo de perdedor.

Existem, então, estas duas certezas: (1) *superar o mercado antes dos custos é um jogo de soma zero;* (2) *superar o mercado após os custos é um jogo de perdedor.* Os retornos obtidos pelos investidores como um todo inevitavelmente ficam bem aquém dos retornos obtidos nos mercados financeiros americanos.

A quanto montam tais custos?

Para investidores individuais que possuem ações diretamente, os custos das transações podem ser em média de 1,5% ou mais ao ano. Esse custo é menor (talvez 1%) para aqueles que transacionam com pouca frequência e bem maior para investidores que transacionam com frequência (por exemplo, 3% para investidores que transacionam suas carteiras a uma taxa acima de 200% ao ano).

Em fundos mútuos de ações americanos ativamente geridos, as taxas de administração e as despesas operacionais – combinadas no que denominamos *taxa de despesas* de um fundo – atingem a média de 1,3% ao ano e cerca de 0,8% quando ponderadas pelos ativos do fundo. Depois acrescente, digamos, outro 0,5% em comissões de vendas, supondo que uma comissão de venda inicial de 5% fosse distribuída por um período de manutenção de 10 anos. Se as ações fossem mantidas por cinco anos, o custo da comissão de venda seria o dobro dessa cifra de 0,5%: 1% ao ano (muitos fundos cobram comissões de vendas, que agora costumam ser distribuídas ao longo de uma década ou mais. Cerca de 60% dos fundos são "sem comissão").

Então adicione um custo adicional imenso, ainda mais pernicioso por ser invisível. Refiro-me aos custos ocultos da rotatividade da carteira, que estimo atingirem uma média anual de 1%. Fundos mútuos ativamente geridos supostamente renovam suas carteiras a uma taxa de cerca de 80% ao ano, o que significa, por exemplo, que um fundo de 5 bilhões de dólares compra 2 bilhões em ações a cada ano e vende outros 2 bilhões, totalizando 4 bilhões. Com esse volume, as comissões de corretagem, os spreads de compra e venda e os custos de impacto do mercado acrescentam uma camada grande de custos adicionais pagos pelos investidores no fundo, talvez de 0,5 a 1,0%.[1]

Nós, investidores, como um grupo, obtemos exatamente aquilo pelo qual *não* pagamos. Se não pagamos nada, obtemos tudo.

---

[1] No Brasil, a maior parte dos fundos cobra de seus cotistas apenas a taxa de administração. Alguns também cobram uma taxa de performance, que incide sobre o investimento quando o desempenho do fundo supera o estabelecido.

O entendimento do mercado no Brasil é que essa taxa de administração deve ser de até 2%, mas diversos fundos cobram taxas mais altas. Por isso, assim como o investidor americano, é preciso sempre levar em consideração as taxas cobradas pelo gestor do fundo no momento de escolher onde colocar o seu dinheiro. Taxas elevadas podem colocar em xeque a rentabilidade e o futuro do seu investimento. *(N. do E.)*

Resultado: o custo total da posse do fundo de ações pode atingir 2 a 3% ao ano.* Portanto, sim, *os custos importam*. A ironia sombria de investir, então, é que nós, investidores como um grupo, não apenas não obtemos aquilo pelo qual pagamos. Obtemos exatamente aquilo pelo qual *não* pagamos. Assim, *se não pagamos nada, obtemos tudo*. Uma questão de lógica.

Alguns anos atrás, quando eu estava relendo Other People's Money (O dinheiro dos outros), de Louis D. Brandeis (publicado originalmente em 1914), deparei com uma passagem maravilhosa que ilustra essa lição simples. Brandeis, que viria a se tornar um dos juristas mais influentes da história da Suprema Corte americana, atacou os oligarcas que, um século atrás, controlavam os investimentos e as empresas americanas.

"As regras implacáveis da humilde matemática"

Brandeis descreveu a gestão financeira em causa própria e os interesses interligados deles como "*pisotear com impunidade as leis humanas e divinas, obcecados com a ilusão de que 2 mais 2 são 5*". Ele previu (de maneira precisa, pelo que se viu) que a especulação generalizada daquela época entraria em colapso, "*vítima das regras implacáveis da humilde matemática*". E acrescentou esta advertência, sem nomear a fonte (suponho que seja de Sófocles): "*Lembre-se, ó estrangeiro, que a matemática é a primeira das ciências e a mãe da segurança.*"

As palavras de Brandeis me atingiram como a proverbial tonelada de tijolos. Por quê? Porque as regras implacáveis da matemática

---

* Ignorei o custo de oportunidade oculto que os investidores do fundo pagam. A maioria dos fundos de ações mantém uns 5% em reservas em dinheiro. Se as ações obtêm um retorno de 7% e essas reservas obtêm 2%, esse custo acrescentaria outro 0,25 ponto percentual ao custo anual (5% dos ativos multiplicados pelo diferencial de rendimento de 5%). *(N. do A.)*

dos investimentos são óbvias (meus detratores têm comentado que minha única virtude é "a misteriosa capacidade de reconhecer o óbvio").

O fato curioso é que a maioria dos investidores parece ter dificuldade em reconhecer o que está à plena vista, bem diante de seus olhos. Ou, de forma talvez ainda mais generalizada, recusam-se a reconhecer a realidade porque ela contraria frontalmente suas crenças arraigadas, seus preconceitos, sua excessiva confiança e sua aceitação acrítica da maneira como os mercados financeiros têm funcionado, aparentemente desde sempre.

"Incrível como é difícil para um homem entender algo se ele receber uma pequena fortuna para *não* entender."

Além disso, não é do interesse de nossos intermediários financeiros encorajar seus investidores/clientes a reconhecer a realidade óbvia. De fato, o egoísmo dos líderes do sistema financeiro quase os compele a ignorar essas regras implacáveis. Parafraseando Upton Sinclair: *Incrível como é difícil para um homem entender algo se ele receber uma pequena fortuna para* não *entender.*

Nosso sistema de intermediação financeira criou fortunas enormes para aqueles que administram o dinheiro de outras pessoas. O egoísmo deles não mudará tão cedo. Mas, como investidor, você deve ir atrás do *seu* egoísmo. Somente encarando as realidades óbvias do investimento um investidor inteligente pode ter sucesso.

Quanto os custos da intermediação financeira importam? Enormemente! De fato, os altos custos dos fundos de ações têm desempenhado um papel determinante em explicar por que os administradores de fundos têm ficado aquém dos retornos do mercado de ações tão sistematicamente e por tanto tempo. Se você pensar a respeito, como poderia ser diferente?

Em sua maioria, esses administradores são inteligentes, educados, experientes, instruídos e honestos. *Mas estão competindo entre si.* Quando alguém compra uma ação, outra pessoa a vende. Não existe ganho líquido para os acionistas do fundo como um grupo. Na verdade, eles arcam com uma perda equivalente aos custos de transação que pagam àqueles "Auxiliadores" para os quais Warren Buffett nos alertou no Capítulo 1.

Os investidores prestam muito pouca atenção aos custos de investir. É especialmente fácil subestimar sua importância sob as três condições atuais: (1) quando os retornos do mercado de ações têm sido altos (desde 1980, os retornos das ações têm sido em média de 11,5% ao ano, e o fundo comum tem fornecido um retorno não trivial – mas claramente inadequado – de 10,1%); (2) quando os investidores focam em retornos de curto prazo, ignorando o impacto realmente confiscatório dos custos no decorrer da vida do investimento; e (3) quando tantos custos são escondidos (custos de transação da carteira, o impacto em grande parte não reconhecido das taxas iniciais de vendas e impostos incidentes sobre as distribuições de ganhos de capital pelos fundos, muitas vezes realizadas desnecessariamente).

Talvez um exemplo ajude.

Suponhamos que o mercado de ações gere um retorno total médio de 7% ao ano durante meio século. Sim, pode parecer um tempo longo, mas a vida de um investimento agora é ainda mais longa: 65 ou 70 anos para um investidor que começa a trabalhar aos 22 anos, passa a investir imediatamente, trabalha até, digamos, 65 anos e depois continua investindo por uma expectativa de vida atuarial de 20 ou mais anos.

Agora suponhamos que o fundo mútuo médio operou a um custo de ao menos 2% anuais. Resultado: um retorno anual *líquido* de apenas 5% para o fundo médio.

10 mil aumentam para 294.600... ou para 114.700. Para onde foram esses 179.900?

Com base nesses pressupostos, vejamos os retornos obtidos por 10 mil dólares em 50 anos (Figura 4.1). Pressupondo um retorno anual nominal de 7%, o investimento simples no mercado de ações aumenta para 294.600. Por quê? A magia dos *retornos* capitalizados durante a vida do investimento. Nos primeiros anos, a linha que mostra o crescimento a uma taxa anual de 5% não parece tão diferente do crescimento do próprio mercado de ações.

Mas aos poucos as linhas começam a divergir, resultando, por fim, em uma diferença realmente drástica. Ao fim do período de 50 anos, o valor acumulado no fundo totaliza apenas 114.700 dólares, uma

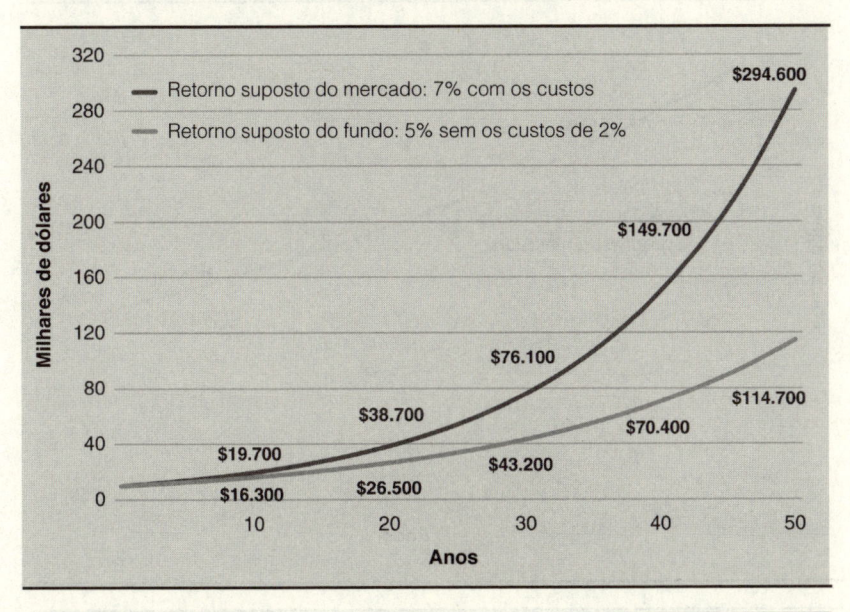

FIGURA 4.1 A magia dos retornos capitalizados, a tirania dos custos capitalizados: crescimento de 10 mil dólares em 50 anos

defasagem surpreendente de 179.900 em relação ao retorno cumulativo obtido pelo próprio mercado. Por quê? A tirania dos *custos* capitalizados ao longo da vida do investimento.

No campo dos investimentos, o tempo não cura todas as feridas. Torna-as piores. *No tocante aos retornos, o tempo é seu amigo. Mas, no tocante aos custos, o tempo é seu inimigo.* Esse fato é poderosamente ilustrado quando examinamos quanto do valor do investimento de 10 mil dólares é erodido a cada ano que passa (Figura 4.2).

No fim do primeiro ano, apenas cerca de 2% do valor potencial do seu capital desapareceram (10.700 vs. 10.500). No décimo ano, 17% desapareceram (19.700 vs. 16.300). No 30º ano, 43% desapareceram (76.100 vs. 43.200). E, no fim do período de investimento de 50 anos, os custos consumiram 61% do acúmulo potencial disponível simplesmente por manter a carteira do mercado, deixando apenas 39% para o investidor.

FIGURA 4.2 A tirania da capitalização: impacto de longo prazo de uma defasagem de 2% em relação ao mercado

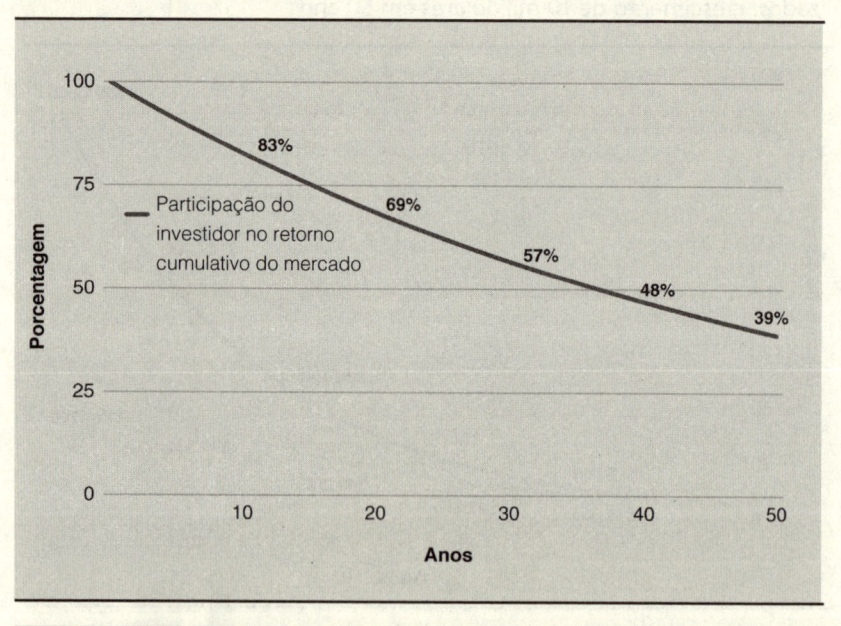

Você aplica 100% do capital e assume 100% do risco. Mas ganha menos de 40% do retorno potencial.

Nesse exemplo, o investidor que aplicou 100% do capital e assumiu 100% do risco obtem menos de 40% do retorno potencial do mercado. O sistema de intermediação financeira, que aplicou 0% do capital e assumiu 0% do risco, essencialmente confiscou 60% desse retorno.

Vou repetir: o que você vê nesse exemplo – e, por favor, nunca se esqueça dele! – é que, no longo prazo, o milagre dos *retornos* capitalizados foi sobrepujado pela tirania dos *custos* capitalizados. Acrescente essa certeza matemática às regras implacáveis da humilde matemática já descritas.

Em termos simples, os administradores de fundos, sentados no topo da cadeia alimentar dos investimentos, confiscaram uma parcela excessiva dos retornos oferecidos pelos mercados financeiros americanos. Os investidores nos fundos, inevitavelmente na base da cadeia alimentar, ficaram com uma parcela chocantemente pequena. Os investidores não precisavam arcar com essa perda, pois poderiam facilmente ter investido em um fundo de índice simples, de baixíssimo custo, que acompanhe o S&P 500.

Os custos fazem a diferença entre o sucesso e o fracasso do investimento.

Em suma, a humilde matemática de investir – a penalidade lógica, inevitável e inflexível cobrada pelos custos dos investimentos – tem devastado os retornos obtidos por investidores em fundos mútuos. Usando a fórmula do juiz Brandeis, os vendedores de fundos mútuos parecem *"obcecados com a ilusão"* de que os investidores captam

100% do retorno do mercado de ações – e estão impingindo essa ilusão aos investidores.

Quando os vendedores dos fundos dos Estados Unidos citam o retorno histórico anual de 9,5% do mercado de ações desde 1900 e ignoram as despesas dos fundos de 2% e a inflação de 3%, dão a entender que os investidores podem esperar um retorno real, deduzidos os custos, de 9,5%. Bem, para dizer o óbvio, eles não deveriam fazer isso. É só você fazer a subtração. A verdade é que o retorno real para os investidores equivale a (adivinhou!) somente 4,5%.

Os investidores dos fundos merecem uma parcela justa.

A não ser que o setor dos fundos dê aos seus investidores uma parcela justa e melhore o retorno líquido oferecido aos acionistas dos fundos, terá dificuldades e acabará entrando em colapso – uma vítima, sim, das regras implacáveis da humilde matemática. Se estivesse olhando sobre seu ombro enquanto você lê este livro, o juiz Brandeis com certeza estaria alertando: *Lembre-se, ó leitor, que a matemática é a primeira das ciências e a mãe da segurança.*

Os custos fazem a diferença entre o sucesso e o fracasso nos investimentos. Assim, aponte seus lápis. Faça suas contas. Perceba que você não está fadado a jogar o jogo da administração hiperativa da maioria esmagadora dos investidores individuais e dos proprietários de fundos mútuos. O fundo de índice de baixo custo está aí para garantir que você ganhará sua parcela justa dos retornos – positivos ou negativos – obtidos pelas empresas americanas e fornecidos pelos preços de suas ações e por seus dividendos.

NÃO ACREDITE APENAS EM MIM

A superioridade inata do fundo de índice tem sido endossada (talvez relutantemente) por uma grande variedade de especialistas no setor dos fundos mútuos. Quando se aposentou, **Peter Lynch**, o lendário gestor que levou o Fundo Fidelity Magellan a tamanho sucesso durante sua gestão de 1977 a 1990, disse o seguinte na revista de finanças *Barron's:* "O S&P subiu 343,8% em 10 anos. Uma subida e tanto. Os fundos de ações em geral subiram 283%. Então a coisa está piorando, a deterioração pelos profissionais está piorando. *O público estaria melhor em um fundo de índice.*"

• • •

Agora leia o líder do setor **Jon Fossel**, ex-presidente do Investment Company Institute e dos Fundos Oppenheimer, no *Wall Street Journal*: "As pessoas deveriam reconhecer que o fundo comum *nunca* consegue superar o mercado na totalidade." (Grifo meu.)

• • •

Mesmo investidores hiperativos parecem acreditar nas estratégias de indexação. Eis as palavras de **James J. Cramer**, administrador de investimentos e apresentador de *Mad Money*, da CNBC: "Após uma vida selecionando ações, tenho de admitir que os argumentos de Bogle a favor do fundo de índice me levaram a cogitar me juntar a ele em vez de tentar superá-lo. A sabedoria e o bom senso de Bogle [são] indispensáveis […] para quem esteja tentando descobrir como investir nesse mercado de ações maluco." (Até agora, Cramer parece não ter seguido seu conselho.)

• • •

E mesmo administradores de investimentos alternativos se juntam ao coro. Um dos gigantes da administração de investimentos, **Clifford S. Asness**, gestor e diretor fundador da AQR Capital Management, acrescenta suas sabedoria, expertise e integridade: "A indexação baseada na capitalização do mercado nunca será expulsa de sua merecida posição como núcleo e merecido rei do mundo dos investimentos. É o que todos deveríamos possuir em teoria, tendo fornecido retornos de fundos de ações de baixo custo para uma grande massa de investidores."

5

Concentre-se nos fundos de custo menor

Quanto mais os administradores tomam, menos os investidores ganham.

QUASE TODOS OS ESPECIALISTAS em fundos, os consultores de investidores, a mídia financeira e os próprios investidores dependem fortemente – na verdade, quase devido à falta de outras informações – de selecionar fundos com base no seu desempenho passado. Mas, embora o desempenho passado informe o que aconteceu, não pode informar o que *acontecerá*. De fato, como você verá mais tarde, a ênfase no desempenho do fundo, além de *não* ser produtiva, é contraproducente. Nosso próprio bom senso, bem no fundo, informa: *o desempenho vem e vai*.

Mas existe um fator poderoso que molda os retornos dos fundos, com frequência ignorado, que é essencial conhecer: você pode ter mais sucesso na seleção de fundos vitoriosos concentrando-se não na efemeridade inevitável do desempenho passado, mas em algo que parece perdurar para sempre ou, mais justamente, um fator que tem persistido em moldar os resultados dos fundos no decorrer da longa história do setor. Esse fator é o *custo* de possuir fundos mútuos. *Os custos duram para sempre.*

O desempenho do fundo vem e vai.
Os custos duram para sempre.

Quais são esses custos? O primeiro e mais conhecido é a taxa de despesas do fundo, que tende a mudar pouco com o tempo. Embora certos fundos reduzam suas taxas com o crescimento dos ativos, as reduções costumam ser significativamente modestas para que os fundos de alto custo (taxa média de despesas dos fundos do decil de custo maior: 2,40%) tenham a tendência a permanecer de alto custo. Os fundos de custo menor tendem a permanecer de custo menor (taxa média de despesas no quarto decil: 0,98%) e os poucos fundos de custo muito baixo tendem a permanecer de custo muito baixo (taxa média de despesas no decil de custo menor: 0,32%). Os fundos de custo médio no quinto e sexto decis (1,10% e 1,24%) também tendem a persistir nessa categoria.

O segundo grande custo da posse de fundos de ações é a comissão de venda paga em cada compra de ações. O peso das comissões de vendas é quase invariavelmente ignorado nos dados publicados, embora também tenda a persistir. Fundos com comissão raramente tornam-se sem comissão, e vice-versa.* (Não me recordo de nenhuma grande organização de fundos fazendo a conversão imediata de um

---

* O uso de comissões iniciais diminuiu nos últimos anos, muitas vezes substituídas por "comissões distribuídas" que aumentam fortemente as taxas de despesas do fundo. Por exemplo, a classe de ações A oferecidas por um dos maiores distribuidores de fundos mútuos incluía uma comissão inicial de 5,75% em 2016 e uma taxa de despesas de 0,58%. O distribuidor agora oferece uma nova classe de ações T de seus fundos, incluindo uma comissão inicial de 2,5% mais um custo de comercialização anual adicional de 0,25% por ano que precisa ser pago enquanto o investidor possuir as ações. Essa taxa anual aumenta as taxas de despesas do fundo para cerca de 0,83%. *(N. do A.)*

sistema de distribuição com comissão para um sem comissão desde que a Vanguard deu esse passo inédito muito tempo atrás, em 1977.)

O terceiro grande custo com que arcam os investidores nos fundos é o da compra e venda de títulos mobiliários da carteira. Essas transações custam dinheiro. Estimamos que os custos de rotatividade sejam de cerca de 0,5% em cada compra e cada venda, significando que um fundo com 100% de rotatividade da carteira repassaria um custo para os acionistas de cerca de 1% dos ativos ano após ano. De maneira semelhante, uma rotatividade de 50% custaria cerca de 0,50% por ano dos retornos do fundo. Uma rotatividade de 10% reduziria o custo para 0,10% e assim por diante.

Regra prática: presuma que os custos de rotatividade de um fundo equivalem a 1% da taxa de rotatividade. Em 2016, as compras e vendas de títulos mobiliários das carteiras de fundos mútuos de ações totalizaram 6,6 trilhões de dólares, equivalentes a 78% dos ativos médios dos fundos de ações, de 8,4 trilhões de dólares. O custo de todas essas transações, com frequência entre concorrentes, atingiu algo como 66 bilhões de dólares, igual a 0,8% por ano dos ativos dos fundos.

Os custos são grandes e, com frequência, ignorados.

A maioria das comparações entre os custos dos fundos enfoca somente as taxas de despesas informadas e uniformemente descobre que custos maiores estão associados a retornos menores. Esse padrão vale não apenas para os fundos de ações como um grupo, mas para cada uma das nove caixas de estilo Morningstar (fundos de alta, média e baixa capitalização, classificados, por sua vez, em três grupos de objetivo: crescimento, valor ou misto).

Embora poucas comparações independentes levem em conta o custo adicional da rotatividade da carteira do fundo, existe um relacionamento semelhante. Os fundos no quartil de menor rotatividade têm sistematicamente superado o desempenho daqueles no quartil de maior rotatividade, para todos os fundos de ações como um grupo e em cada uma das nove caixas de estilo.

Adicionar esses custos de rotatividade estimados à taxa de despesas de cada fundo transforma a relação entre custos e retornos dos fundos em pura dinamite. Levando em conta ambos os custos, constatamos que os custos anuais totais dos fundos de ações ativamente geridos variam de 0,9% dos ativos, no quartil de custo menor, a 2,3% dos ativos, no quartil de custo maior, como mostra a Figura 5.1 (esse exercício ignora as comissões de vendas e, portanto, *exagera* os retornos líquidos obtidos pelos fundos de cada quartil).

Os custos importam. E muito.

Os custos importam! A Figura 5.1 mostra uma diferença de 1,4% entre a taxa média de despesas dos fundos no quartil de custo maior e no de custo menor. Esse diferencial de custo explica em grande parte a vantagem dos retornos entre os fundos de custo menor em relação aos de custo maior. Durante os últimos 25 anos, o retorno anual líquido médio dos fundos de custo menor foi de 9,4%, enquanto o dos fundos de custo maior foi de apenas 8,3%, uma melhoria do retorno obtida simplesmente pela minimização dos custos.

Observe, também, que em cada um dos quartis dos fundos, quando somamos de volta os custos dos fundos aos seus retornos líquidos informados, os retornos anuais brutos obtidos em cada categoria são praticamente idênticos. Esses retornos brutos (antes dos custos) incluem-se em uma faixa estreita: 10,6% para o quartil de custo maior e 10,3% para o quartil de custo menor, exatamente o que poderíamos esperar. *Em cada quartil, os custos representam essencialmente todas as diferenças nos retornos líquidos anuais obtidos pelos fundos.*

FIGURA 5.1 Fundos mútuos de ações: retornos vs. custos, 1991-2016

	Taxa anual						
		Custos					
Quartil de custos	Retorno bruto	Taxa de despesas	Rotatividade (est.)	Custos totais	Retorno líquido*	Retorno cumulativo	Risco**	Retorno ajustado ao risco
Um (custo menor)	10,3%	0,71%	0,21%	0,91%	9,4%	855%	16,2%	8,9%
Dois	10,6%	0,99%	0,31%	1,30%	9,3%	818%	17,0%	8,4%
Três	10,5%	1,01%	0,61%	1,62%	8,9%	740%	17,5%	7,8%
Quatro (custo maior)	10,6%	1,44%	0,90%	2,34%	8,3%	632%	17,4%	7,4%
Fundo de índice 500	9,2%	0,04%	0,04%	0,08%	9,1%	783%	15,3%	9,1%

* Esta análise inclui apenas fundos que sobreviveram ao período completo de 25 anos. Assim, esses dados exageram fortemente os resultados obtidos pelos fundos de ações por causa do viés da sobrevivência.

** Desvio-padrão anual dos retornos.

Existe outra diferença importante. À medida que os custos aumentam, o risco também aumenta. Usando a volatilidade dos retornos anuais como indicador de risco, os fundos de custo menor correram um risco bem menor (volatilidade média de 16,2%) do que seus correspondentes de custo maior (17,4%). Quando levamos em conta essa redução do risco, o retorno anual ajustado ao risco do quartil de custo menor chega a 8,9%, 1,5 ponto percentual a mais do que o retorno ajustado ao risco de 7,4% do quartil de custo maior.

A magia da capitalização, de novo

Essa vantagem anual de 1,5% no retorno ajustado ao risco pode não parecer muito. Mas, quando capitalizamos esses retornos anuais ao longo do tempo, a diferença cumulativa atinge proporções desconcertantes. O retorno capitalizado para o período é de 855% para os fundos de custo menor e 632% para os fundos de custo maior, um aumento de mais de 35%, superioridade resultante quase inteiramente do diferencial de custos. São as regras implacáveis da humilde matemática!

Em outras palavras, o valor final dos fundos de custo menor multiplicou o investimento original mais de oito vezes, enquanto os retornos do quartil de custo maior multiplicaram seu valor por cerca de seis. Com certeza "pescar no laguinho de baixo custo" deveria melhorar seus resultados, e de novo por uma ampla margem. De novo, sim, os custos importam!

Estaremos exagerando a importância dos custos dos fundos? Acho que não. Os próximos poucos parágrafos de um respeitado analista da Morningstar confirmam minhas conclusões:

> Se existe algo em todo o mundo dos fundos mútuos de que você pode ter certeza, é que as taxas de despesas o ajudam a tomar

uma decisão melhor. Em todos os períodos e pontos de dados individuais testados, os fundos de baixo custo superaram os de alto custo.

As taxas de despesas são fortes indicadores do desempenho. Em cada classe de ativos, ao longo de todos os períodos, o quintil mais barato produziu retornos totais maiores do que o quintil mais caro.

Os investidores deveriam tornar as taxas de despesas um teste básico na seleção de fundos. Elas ainda são os indicadores de desempenho mais confiáveis. Comece enfocando os fundos no quintil ou nos dois quintis mais baratos e você estará no rumo do sucesso.

Baixos custos e fundos de índice

Mas, se você for persuadido pela afirmação poderosa de que, sim, os custos importam e decidir se concentrar no grupo de fundos de custo menor, por que limitar a busca aos fundos ativamente geridos?

Os fundos de índice tradicionais (TIFs) tiveram os menores custos entre todos, com despesas médias de apenas 0,1% durante esse período. Sem nenhum custo de rotatividade mensurável, seus custos totais foram de apenas 0,1%. O retorno bruto do fundo de índice S&P 500 foi de 9,2% por ano; o retorno líquido, de 9,1%. Com um risco inferior ao de quaisquer dos quatro quartis de custos (volatilidade de 15,3%), seu retorno anual ajustado ao risco também foi de 9,1%, um ganho cumulativo que deixou o fundo de índice acima até dos fundos do quartil de custo menor por 0,2% ao ano.

Se os administradores não pegam nada, os investidores recebem tudo: o retorno do mercado.

Cuidado: o retorno anual ajustado ao risco do fundo de índice de 9,1% nos últimos 25 anos é ainda mais impressionante, já que os retornos dos fundos de ações ativos são exagerados (como sempre) pelo fato de que somente os fundos suficientemente bons para sobreviver à década são incluídos nos dados. Ajustados a esse "viés da sobrevivência", os retornos do fundo de ações médio cairiam de 9,0% para estimados 7,5%.

Além disso, selecionar o fundo de índice eliminou a necessidade de procurar aquelas raras agulhas no palheiro do mercado representadas pelos poucos fundos ativos com desempenho acima da média, na esperança muitas vezes frustrada de que suas trajetórias vitoriosas continuarão nas décadas seguintes.

Como sugere a Morningstar, se os investidores pudessem depender de um único fator para selecionar os fundos com melhor desempenho no futuro e evitar aqueles com desempenho pior, esse fator seriam os custos dos fundos. A realidade dificilmente poderia ser mais clara: *Quanto mais os administradores e corretores pegam para si, menos os investidores ganham.* De novo, se os administradores e corretores não pegam *nada*, os investidores recebem *tudo* (a saber, o retorno total do mercado de ações).

NÃO ACREDITE APENAS EM MIM

Em 1995, **Tyler Mathisen**, agora editor geral do *Business News* do CNBC, merece o crédito por ser um dos primeiros jornalistas – se não o primeiro – a reconhecer o papel importante dos custos dos fundos mútuos (taxas de despesas, custos de rotatividade e impostos desnecessários) em erodir os retornos fornecidos aos acionistas. Mathisen, então editor executivo da *Money*, admitiu a superioridade do fundo de índice de baixo custo, baixa rotatividade e eficiência fiscal:

"Por quase duas décadas, John Bogle, o presidente de língua afiada do Vanguard Group, pregou as virtudes dos fundos de índice – essas carteiras enfadonhas que visam igualar o desempenho de um barômetro do mercado. E, por grande parte desse tempo, milhões de investidores em fundos (sem falar em dezenas de jornalistas financeiros, inclusive este) basicamente o ignoraram.

"Com certeza, reconhecemos os méritos intrínsecos dos fundos de índice, como baixas despesas anuais e, já que esses fundos mantêm a rotatividade no mínimo, custos de transação ínfimos. Além disso, como os administradores de fundos de índice convertem os lucros dos papéis em ganhos realizados com menos frequência do que os capitães dos fundos ativamente geridos, os acionistas pagam menos impostos por ano ao Tio Sam. Na verdade, essas três vantagens formam um trio tão impressionante quanto Domingo, Pavarotti e Carreras.

"Bem, John, nós estávamos errados. Você venceu. Contentar-se com a média é bom o suficiente, ao menos para uma parte substancial das carteiras de ações e títulos de dívida da maioria dos investidores. De fato, com frequência, almejar retornos correspondentes a benchmarks por meio de fundos de índice assegura aos acionistas uma chance acima da média de superar a carteira de ações ou títulos de dívida administrada típica. É o paradoxo do investimento em fundos hoje em dia: perseguir a média é sua melhor tacada para terminar acima da média.

"Nós passamos a concordar com o às vezes irritadiço, sempre provocador executivo de fundos conhecido pelos admiradores e detratores como São John: a indexação deveria formar o núcleo das carteiras da maioria dos investidores. Então, à sua saúde, John. Você tem o direito de chamá-lo, como fez em um livreto que escreveu, de *O triunfo da indexação*."

(Obrigado, Tyler!)

6

Dividendos são os (melhores?) amigos dos investidores

Mas os fundos mútuos confiscam demais deles.

OS RENDIMENTOS DOS DIVIDENDOS são uma parte vital do retorno de longo prazo gerado pelo mercado de ações.

De fato, desde 1926 (o primeiro ano para o qual dispomos de dados amplos sobre o S&P 500), os dividendos contribuíram com um retorno anual médio de 4,2%, representando um total de 42% do retorno anual de 10,0% do mercado de ações no período.[1]

---

[1] Empresas no Brasil pagam aos acionistas, além dos dividendos, os juros sobre capital próprio (JSCP), o que também contribui para a rentabilidade dos investimentos. Muitos investidores consideram o histórico de pagamento de dividendos e JSCP no momento em que escolhem ações para comprar. Isso porque a variação de preço do papel pode não ser tão atraente, mas a distribuição desses ganhos torna a ação uma oportunidade interessante de alocação de recursos. *(N. do E.)*

Uma revelação espantosa

Capitalizados por esse longo período, os dividendos deram uma contribuição quase inacreditável à valorização do mercado. Excluindo a renda dos dividendos, um investimento inicial de 10 mil dólares no S&P 500 em 1º de janeiro de 1926 teria aumentado para mais de 1,7 milhão no início de 2017.

Mas, com os dividendos reinvestidos, esse investimento teria aumentado para cerca de 59,1 milhões! Essa diferença espantosa de 57,4 milhões de dólares entre (1) a valorização só do preço de mercado e (2) o retorno total quando os dividendos são reinvestidos simplesmente reflete (de novo) "a magia da capitalização livre de custos" (Figura 6.1).

A estabilidade dos dividendos anuais por ação do S&P 500 é realmente espantosa (Figura 6.2, na página 84). No intervalo de 90 anos começando em 1926, ocorreram apenas três quedas significativas: (1) um declínio de 55% durante os primeiros anos da Grande Depressão (1929-1933); (2) um declínio de 36% após a Depressão em 1938; e (3) um declínio de 21% durante a crise financeira global de 2008-2009.

Esse declínio mais recente ocorreu, em grande parte, porque os bancos foram forçados a suspender seus dividendos. Os dividendos por ação no Índice 500 caíram de 28,39 dólares, em 2008, para 22,41, em 2009, mas atingiram uma nova alta de 45,70 dólares em 2016, 60% acima do pico anterior de 2008.

Os administradores de fundos mútuos dão pouca prioridade à receita dos dividendos.

FIGURA 6.1 Retorno dos preços do S&P vs. retorno total

[Gráfico: Retorno total do S&P 500 com dividendos reinvestidos vs. Valorização do preço do S&P 500 somente, de 1926 a 2016. Pontos destacados: $92K, $892K, $27,9M, $59,1M (retorno total); $20K, $104K, $1,0M, $1,7M (somente preço).]

Dados o poder óbvio da capitalização dos dividendos no longo prazo e a relativa estabilidade dos pagamentos de dividendos pelas empresas, os fundos mútuos ativamente geridos devem dar alta prioridade à receita dos dividendos. Certo?

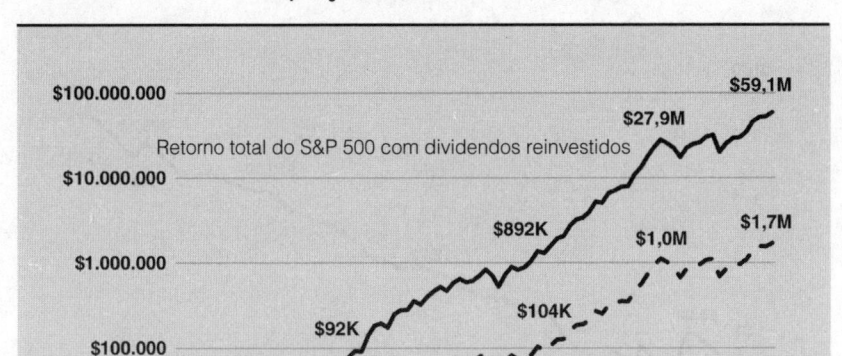

Errado! Porque os contratos de administração dos fundos mútuos sistematicamente preveem taxas de consultoria com base nos *ativos líquidos* do fundo – não na *receita dos dividendos*.

Quando os rendimentos dos dividendos no mercado de ações são baixos (como nos últimos anos), as despesas do fundo consomem uma enorme parcela da receita total dos dividendos obtidos pelos fundos.

O resultado: uma proporção desconcertante da receita dos dividendos dos fundos de ações é consumida pelas despesas. "Desconcertante" não é exagero. Em fundos de crescimento ativamente geridos, as despesas realmente consomem 100% (!) do rendimento

FIGURA 6.2 S&P 500 – Dividendos por ação

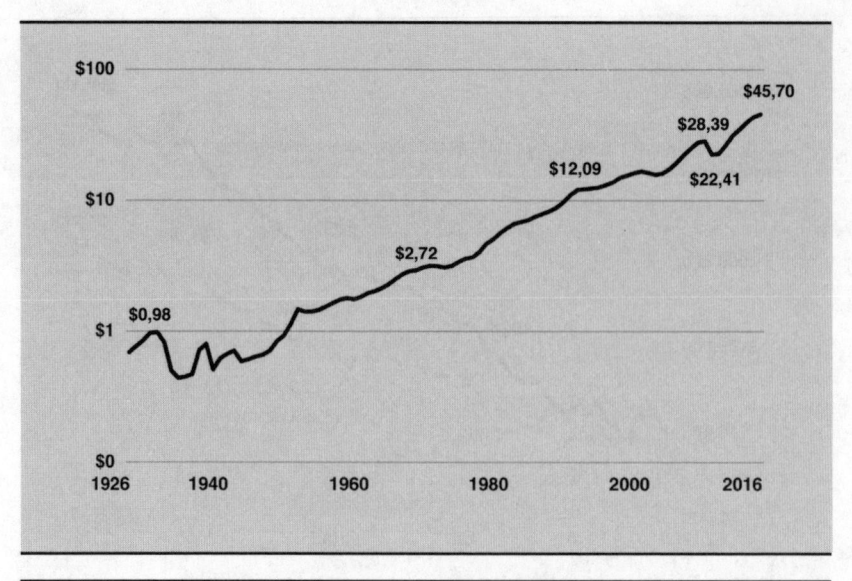

do fundo. Em fundos de valor ativamente geridos, as despesas consomem 58% da receita dos dividendos.

O contraste entre fundos ativamente geridos e fundos de índice semelhantes é gritante. As despesas do fundo de índice de valor semelhante consumiram 2% do rendimento do fundo em 2016; as despesas do fundo de índice de crescimento de baixo custo consumiram apenas 4% (Figura 6.3).

Os fundos de ações de gestão ativa confiscam sua receita dos dividendos.

Apesar do impacto poderoso dos dividendos sobre os retornos de longo prazo, você, como quase todos os investidores, provavelmente não está sabendo desse espantoso confisco da receita dos dividen-

FIGURA 6.3 Rendimentos dos dividendos e despesas dos fundos, 2016

Fundos de gestão ativa	Rendimento bruto	Taxa de despesas	Rendimento líquido	Parcela do rendimento bruto consumida pelas despesas
Fundos de crescimento	1,3%	1,3%	0,0%	100%
Fundos de valor	2,1%	1,2%	0,9%	58%
Fundos de índice de baixo custo				
Fundos de crescimento	1,4%	0,1%	1,3%	4%
Fundos de valor	2,5%	0,1%	2,4%	2%

Fonte: Morningstar.

dos. Como *poderia* saber? Embora seja possível calcular esses dados a partir dos demonstrativos financeiros de um fundo, esses demonstrativos não costumam ser faróis de divulgação plena, clara e direta.

Então por que não cogitar em um fundo de índice de baixo custo, que não tem um administrador de carteira ativo, tem uma taxa de despesas de apenas 0,04%, fornece sua parcela justa da receita dos dividendos do fundo e praticamente não faz nenhuma transação de ações intermediada por aqueles Auxiliadores mencionados no início? Por que não?

O Capítulo 13 explora mais essa ideia.

NÃO ACREDITE APENAS EM MIM

Um blogueiro que assina como **"Dividend Growth Investor"** entendeu minha mensagem sobre a importância dos dividendos e escreveu um artigo que ecoa minha filosofia dos dividendos:

"John Bogle é uma lenda dos investimentos. [...] Li diversos de seus livros e realmente curti suas mensagens simples. Eu realmente gostei da mensagem de Bogle sobre manter baixos os custos, manter baixa a rotatividade, permanecer no rumo e manter a simplicidade. Gostei do conselho no instante em que li. [...] Gostei em especial do conselho de Bogle sobre dividendos.

"Bogle é um defensor de concentrar-se nos pagamentos de dividendos e ignorar as flutuações dos preços das ações. Ele observa que o mercado de ações é uma enorme distração e que os investidores deveriam ficar de olho nos dividendos. [...]

"Ele observa corretamente que os dividendos têm uma tendência ascendente regular ao longo do tempo. Isso torna os dividendos uma fonte ideal de renda confiável para aposentados. [...]

"Bogle também menciona que, embora os dividendos não sejam garantidos, poucas vezes no passado eles caíram de forma mais perceptível. [...]

"Eu realmente gosto dessa mensagem geral sobre permanecer no rumo, concentrar-se nos dividendos, manter baixos os custos e ignorar os preços das ações. Ele também acredita em manter a simplicidade. Bogle é contra a prática generalizada atual de desenvolver carteiras que consistem em classes de ativos 10-15, cujo único propósito é criar complexidade para gerar taxas para administradores de ativos gananciosos. Manter a simplicidade significa possuir ações e alguns títulos de dívida. Também significa não sofisticar demais e não se deixar seduzir por classes de ativos badaladas cujos méritos derivam de testes de modelos de computador."

7

A grande ilusão

Surpresa! Os retornos informados pelos fundos mútuos raramente são recebidos pelos investidores desses fundos.

É GRATIFICANTE que especialistas do setor, como Peter Lynch, da Fidelity, o ex-presidente do Investment Company Institute (ICI) Jon Fossel, James Cramer, de *Mad Money*, e Clifford Asness, da AQR, concordem comigo, como você deve se lembrar do Capítulo 4. Os retornos obtidos pelo fundo mútuo de ações típico são inevitavelmente insuficientes em relação aos retornos disponíveis simplesmente possuindo o mercado de ações por intermédio de um fundo de índice com base no S&P 500.

Mas a ideia de que os investidores em fundos mútuos realmente *ganham* 100% desses retornos insuficientes mostra-se uma grande ilusão.

Não apenas uma ilusão, mas uma ilusão generosa. A realidade é bem pior, pois, além de pagar os custos pesados que os administradores de fundos extraem por seus serviços, os acionistas pagam um custo adicional que tem sido ainda maior. Neste capítulo, explicaremos por quê.

Os administradores de fundos costumam informar os retornos tradicionais *ponderados pelo tempo* calculados por seus fundos – a mudança no valor do ativo de cada ação do fundo, ajustado para refletir o reinvestimento de todos os dividendos recebidos e quaisquer distribuições de ganhos de capital. Nos últimos 25 anos, o fundo mútuo médio obteve um retorno de 7,8% ao ano – 1,3 ponto percentual a menos que o retorno de 9,1% do S&P 500. Mas esse retorno do *fundo* não nos informa o retorno auferido pelo *investidor* médio em fundos. E esse retorno acaba se mostrando bem menor.

Dica: O dinheiro flui para a maioria dos fundos após o bom desempenho e sai quando acontece o mau desempenho.

Para avaliar o retorno obtido pelo investidor médio em fundos, precisamos considerar o retorno *ponderado pelo dólar*, que leva em conta o impacto dos fluxos de entrada e saída de capital dos investidores do fundo* (dica: o dinheiro flui para a maioria dos fundos após o bom desempenho e sai quando acontece o mau desempenho).

Quando comparamos os retornos dos fundos tradicionalmente calculados com aqueles realmente auferidos pelos investidores no último quarto de século, constatamos que o investidor médio em fundos obteve não o retorno de 7,8% informado pelo fundo médio, mas 6,3% – um retorno anual 1,5 ponto percentual menor que aquele do fundo.

---

* Exemplo extremo: se um fundo com 100 milhões de dólares em ativos obtém um retorno ponderado pelo tempo de 30% do valor de seu ativo líquido durante um ano e os investidores, reconhecendo o forte retorno, compram 1 bilhão de dólares de suas ações no último dia do ano, o retorno médio ponderado pelo dólar obtido por seus investidores será de apenas 4,9%. (N. do A.)

O investidor no fundo de índice também foi atraído pelo mercado ascendente, mas ainda assim obteve um retorno de 8,8%, somente 0,2 ponto percentual abaixo do retorno do próprio fundo.

Sim, durante os últimos 25 anos, enquanto o S&P 500 estava fornecendo um retorno anual de 9,1% e o *fundo* de ações médio obtinha um retorno anual de 7,8%, o *investidor* médio em fundo estava ganhando apenas 6,3% ao ano.

As duplas penalidades dos custos e do comportamento do investidor

Capitalizado pelo período completo, a penalidade anual de 1,5% sofrida pelo fundo médio por causa dos custos foi enorme. Mas as duplas penalidades do timing errado e da seleção desfavorável a tornaram ainda maior.

A Figura 7.1 mostra que 10 mil dólares investidos em um fundo de baixo custo indexado ao S&P 500 obteve em 1991 um lucro nominal (antes da inflação) de 77 mil dólares. O fundo de ações médio obteve um lucro de apenas 55.500 dólares – 72% do que havia para ser obtido. O resultado capitalizado obtido pelo investidor médio em fundos despencou para 36.100 dólares, menos de 50% do retorno de 73.100 dólares obtido por investidores no fundo de índice simples. Essas penalidades se somam!

Quando levamos em conta a inflação, o valor de todos esses dólares despenca. Com uma inflação média anual de 2,7%, o retorno *real* do fundo de índice cai para 6,2% ao ano, mas o retorno real do investidor médio em fundos despenca para apenas 3,6% – um valor real cumulativo de 34.500 dólares para o fundo de índice versus apenas 14.400 dólares para o investidor em fundos. Verdade seja dita: é difícil imaginar uma diferença tão desconcertante. Mas contra fatos não há argumentos.

FIGURA 7.1 S&P 500 – Fundo de índice S&P vs. fundo de grande capitalização médio:

Lucro sobre o investimento inicial de 10 mil dólares, 1991-2016

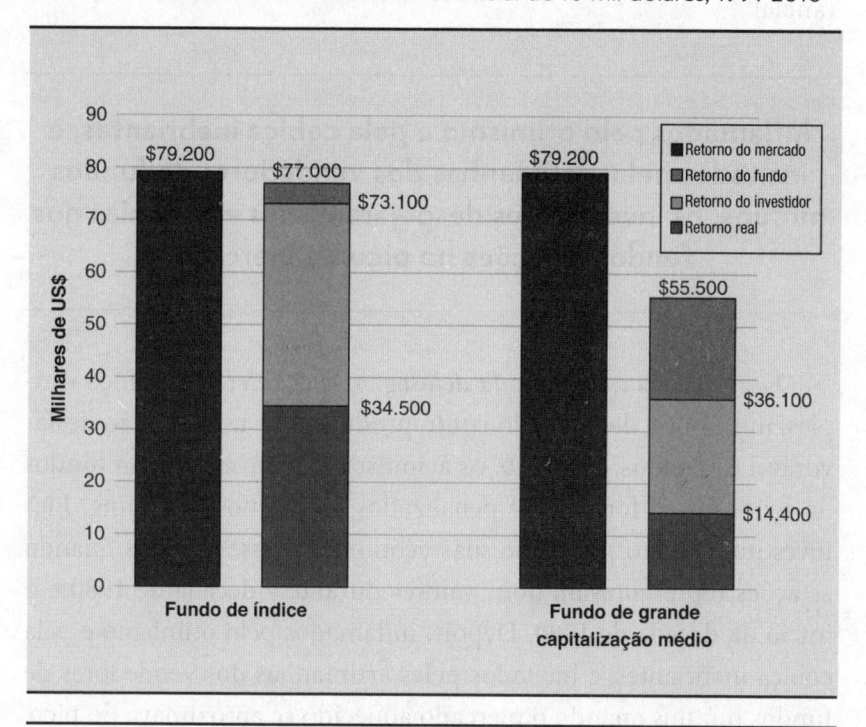

	Fundo de índice	Fundo de grande capitalização médio
Retorno do mercado	$79.200	$79.200
Retorno do fundo	$77.000	$55.500
Retorno do investidor	$73.100	$36.100
Retorno real	$34.500	$14.400

Embora os dados indiquem com clareza que os retornos do investidor em fundos ficaram bem abaixo dos retornos do fundo, não há como ser preciso sobre a defasagem exata.* Mas esse exame dos retornos obtidos pelo mercado de ações, pelo fundo médio e pelo proprietário médio de fundos não pretende ser *preciso*, e sim *orientar*.

Quaisquer que sejam os dados precisos, são fortes os sinais de que (1) os retornos de longo prazo dos fundos de ações estão bem

---

* Essa defasagem foi estimada com base na diferença entre os retornos ponderados pelo tempo informados pela Morningstar sobre o fundo de grande capitalização médio e os retornos reais ponderados pelo dólar no período completo de 25 anos. *(N. do A.)*

aquém do mercado de ações, em grande parte por causa de seus custos; e (2) os resultados obtidos pelos investidores em fundos estão aquém do mercado em *mais do dobro* dessa defasagem substancial.

Inflamados pelo otimismo e pela cobiça inebriantes, e incitados pelas artimanhas dos vendedores de fundos mútuos, os investidores despejaram suas economias nos fundos de ações no pico do mercado.

O que explica essa segunda defasagem chocante? Em termos simples, um timing de mercado contraproducente e uma seleção desfavorável de fundos. Primeiro, os acionistas que investiam em fundos de ações foram fortemente penalizados em termos de timing. Eles investiram muito pouco de suas economias nesses fundos quando as ações representavam bons valores durante a década de 1980 e o início da década de 1990. Depois, inflamados pelo otimismo e pela cobiça inebriantes, e incitados pelas artimanhas dos vendedores de fundos mútuos quando o mercado aquecido se aproximava do pico, eles despejaram uma parcela exagerada de suas economias nos fundos de ações.

Segundo, foram penalizados na seleção, despejando seu dinheiro no mercado não apenas no momento errado, mas nos fundos errados – fundos que haviam proporcionado resultados excepcionais no passado mas, como logo veremos, despencaram em seguida. Por quê? Simplesmente porque os retornos altos dos fundos tendem a reverter em direção à média dos resultados ou abaixo. Com um timing contraproducente e uma má seleção dos fundos, os investidores simplesmente deixaram de praticar o que o bom senso teria indicado.

Quando as emoções contraproducentes do investidor são ampliadas pelas promoções contraproducentes do setor de fundos, poucos benefícios tendem a resultar.

Esse efeito da defasagem tem sido incrivelmente generalizado. Por exemplo, os retornos fornecidos aos investidores de 2008 a 2016 por 186 dos 200 maiores fundos de ações americanos foram inferiores aos retornos que informaram aos investidores!

Essa defasagem foi especialmente evidente durante a onda da "nova economia" do fim da década de 1990. Então o setor de fundos organizou cada vez mais fundos, geralmente com maiores riscos do que o próprio mercado de ações, e ampliou o problema ao anunciar pesadamente os atraentes retornos passados obtidos pelos fundos mais quentes.

Quando o mercado disparou, os investidores despejaram somas crescentes de dinheiro em fundos de ações. Eles investiram um total líquido de apenas 18 bilhões de dólares em 1990, quando as ações estavam baratas, mas 420 bilhões de dólares em 1999 e 2000, quando as ações estavam substancialmente supervalorizadas (Figura 7.2).

Além disso, a maioria dos investidores também escolheu fundos da "nova economia", fundos de tecnologia e os fundos de crescimento com melhor desempenho, praticamente excluindo os fundos mais conservadores orientados para o valor. Enquanto somente 20% do dinheiro haviam sido investidos em fundos de crescimento arriscados e agressivos em 1990, os investidores aplicaram 95% nesses fundos no auge de seus retornos durante 1999 e no início de 2000. Depois do estouro da bolha, quando era tarde demais, as compras dos investidores despencaram para apenas 37 bilhões de dólares em 2002, pouco antes de o mercado atingir o fundo do poço. Eles também retiraram seu dinheiro dos fundos de crescimento e se voltaram, tarde demais, para os fundos de valor.

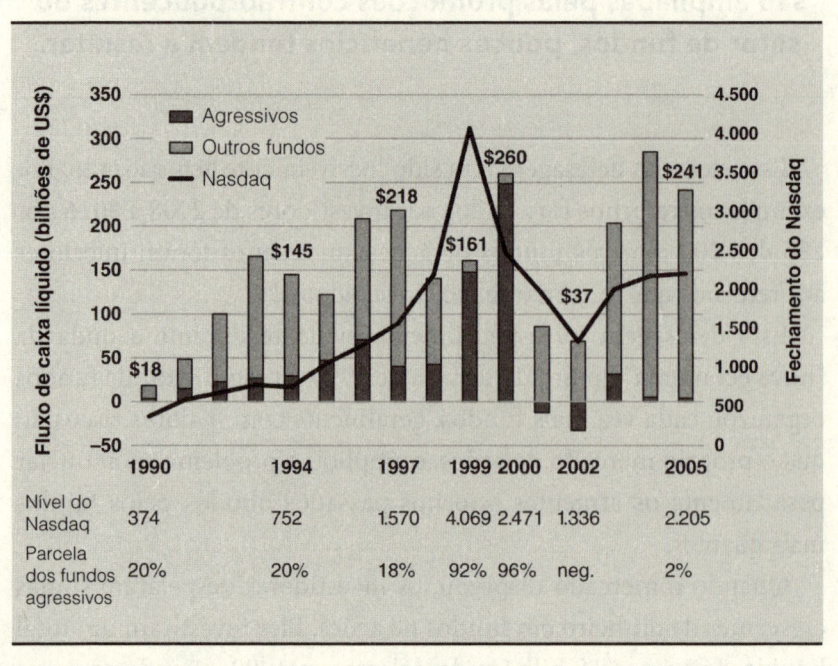

FIGURA 7.2 As penalidades do timing e da seleção: fluxo líquido nos fundos de ações americanos

	1990	1994	1997	1999	2000	2002	2005
Nível do Nasdaq	374	752	1.570	4.069	2.471	1.336	2.205
Parcela dos fundos agressivos	20%	20%	18%	92%	96%	neg.	2%

O desempenho decepcionante dos investidores em fundos retornou durante a crise financeira de 2008-2009 e a recuperação subsequente.

Os investidores em fundos vêm perseguindo o desempenho passado desde eras imemoriais, permitindo que as emoções – talvez até sua ganância – dominem a razão.

Muitos investidores reagiram fortemente – e, em última análise, de forma contraproducente – à grande queda dos mercados durante a crise financeira, desfazendo-se das ações perto do fundo do poço do mercado.

Muitos desses investidores perderam, em parte ou no todo, a recuperação subsequente, uma alta cumulativa ao fim de 2016 de cerca de 250% em relação ao ponto mínimo da baixa.

A soma das emoções do investidor com as promoções do setor de fundos resulta em problemas.

O próprio setor dos fundos agravou o problema ao manipular as emoções dos investidores, lançando fundos novos para atender aos modismos do dia (muitas vezes supertaxados e especulativos) e depois agressivamente anunciando-os e comercializando-os. É justo dizer que, quando as emoções contraproducentes do investidor são manipuladas pelas promoções contraproducentes do setor de fundos, poucos benefícios tendem a resultar.

O setor dos fundos não desistirá tão cedo de seus novos produtos ou promoções, e os investidores com comportamentos de curto prazo contraproducentes precisarão de tempo (e experiência em primeira mão) para adquirir sabedoria. Mas o investidor inteligente fará bem em prestar atenção não apenas na mensagem do Capítulo 4 sobre minimizar despesas, mas na mensagem deste capítulo sobre eliminar as emoções da equação – ou seja, sobre os investidores melhorarem seu comportamento de curto prazo orientado para o mercado.

A vantagem do fundo de índice, então, está não apenas em suas baixas despesas, mas na eliminação de todas essas opções tentadoras de fundos que prometem tanto e entregam tão pouco.

Concentrando-se no longo prazo, fazendo o melhor para ignorar o ruído de curto prazo do mercado de ações e evitando os fundos quentes da moda, o fundo de índice pode ser mantido nos bons e nos maus momentos ao longo de toda uma vida de investimentos.

As emoções nunca devem entrar na equação. A fórmula vencedora do sucesso nos investimentos é possuir todo o mercado de ações por meio de um fundo de índice e depois não fazer mais nada. Apenas permanecer no rumo.

NÃO ACREDITE APENAS EM MIM

O sábio **Warren Buffett** compartilha minha visão. Diz ele: "Os maiores inimigos do investidor em ações são as despesas e emoções." O mesmo ocorre com **Andrew Lo**, professor do MIT e autor de *Mercados adaptáveis* (2017), que pessoalmente "investe comprando e conservando fundos de índice".

• • •

Talvez ainda mais surpreendente, o fundador e executivo principal do maior supermercado de fundos mútuos – enquanto promove vigorosamente as transações com ações e os fundos ativamente geridos – favorece o clássico fundo de índice para si mesmo. Quando indagado sobre por que as pessoas investem em fundos administrados, **Charles Schwab** respondeu: "É divertido brincar [...] é da natureza humana tentar escolher o cavalo certo [...] [Mas,] para a pessoa comum, prefiro a indexação. A previsibilidade é tão alta. [...] Por 10, 15, 20 anos você estará no 85º percentil do desempenho. Por que estragar isso?" (A maior parte da carteira pessoal de Schwab está investida em fundos de índice.)

• • •

Mark Hulbert, editor do altamente conceituado *Hulbert Financial Digest*, concorda. "Supondo que o futuro seja igual ao passado, você pode superar 80% de seus colegas investidores nas próximas décadas se investir em um fundo de índice – e não fizer mais nada. [...] Adquira a disciplina de fazer algo ainda melhor [do que tentar superar o mercado]: torne-se um investidor de longo prazo em fundos de índice." Seu artigo no *The New York Times* teve por título "Comprar e manter? Com certeza, mas não esqueça o 'manter'".

8

Impostos também são custos

Não pague ao governo mais do que deveria.

NÓS AINDA NÃO ESGOTAMOS as regras implacáveis da humilde matemática, as lógicas, inevitáveis e implacáveis penalidades de longo prazo cobradas dos participantes do mercado de ações pelas despesas dos investimentos, o impacto poderoso da inflação, o comportamento contraproducente dos investidores e a promoção de fundos mútuos "quentes" e não testados pelo setor de fundos. Essas práticas têm reduzido o capital acumulado pelos investidores em fundos mútuos. O fundo de índice tem oferecido uma proteção excelente contra a penalidade de quase todos esses custos ocultos (claro que os retornos reais do fundo de índice não estiveram livres dos estragos da inflação, que impacta igualmente todos os investimentos).

Mas existe outro custo (com frequência ignorado) que reduz ainda mais os retornos líquidos realmente recebidos pelos investidores. São os impostos de renda federal, estaduais e locais.*

---
* Cerca de metade de todas as ações de fundos mútuos é mantida por investidores individuais em contas de investimento plenamente tributáveis. A outra metade é mantida em contas de

E, de novo, o fundo de índice apresenta uma vantagem substancial.

O fato é que a maioria dos fundos mútuos administrados é surpreendentemente ineficiente quanto à tributação. Por quê? Por causa do foco no curto prazo de seus gestores de carteira, que com frequência são frenéticos negociadores de ações nas carteiras que supervisionam.

Os fundos mútuos administrados são surpreendentemente ineficientes quanto à tributação.

A rotatividade da carteira do fundo de ações médio com gestão ativa, incluindo tanto compras quanto vendas, agora chega a 78% ao ano (a taxa de rotatividade "tradicional" – com o mínimo de compras e vendas – é de 39%). No setor como um todo, a ação média é mantida pelo fundo ativo médio por uma média de apenas 19 meses (com base nos ativos totais, o período de manutenção médio é de 31 meses).

Embora difícil de imaginar, de 1945 a 1965 a taxa de rotatividade anual dos fundos de ações foi em média de 16%, com um período de manutenção médio de seis anos para uma ação média na carteira de um fundo. Esse enorme aumento da rotatividade e de seus custos de transação concomitantes não beneficiaram os investidores em fundos. Mas o impacto pernicioso dos impostos excessivos que os fundos repassaram aos seus investidores piorou uma situação já ruim.

---

impostos diferidos, como contas de aposentadoria individuais (IRAs) e planos de poupança corporativa, de poupança comum e de participação nos lucros. Se seus investimentos em fundos estão somente na última categoria, você não precisa se preocupar com a discussão deste capítulo. *(N. do A.)*

Esse padrão de ineficiência fiscal para administradores ativos parece destinado a continuar enquanto (1) as ações subirem e (2) os administradores de fundos continuarem seu padrão de transações hiperativas. Sejamos claros: em uma era anterior, a maioria dos administradores de fundos concentrava-se no investimento de longo prazo. Agora, com frequência eles se concentram na especulação de curto prazo. O fundo de índice tradicional segue precisamente a política oposta: comprar e manter "para sempre". A rotatividade anual de sua carteira tem ficado na faixa dos 3%, resultando em custos de transação que estão entre o infinitesimal e zero.[1]

Tragam os dados!

Então vamos retomar de onde paramos alguns capítulos atrás. Recorde que o retorno anual líquido foi de 7,8% para o fundo de ações médio nos últimos 25 anos e de 9,0% para o fundo de índice S&P 500.

Com a alta rotatividade das carteiras de fundos ativamente geridos, seus investidores tributáveis estiveram sujeitos a um imposto federal anual efetivo estimado em 1,2 ponto percentual por ano ou cerca de 15% de seu retorno total pré-impostos (os impostos estaduais e locais aumentaram ainda mais a cifra). Resultado: seu retorno anual pós-impostos foi reduzido a 6,6%.

Embora obtivessem retornos maiores, os investidores em fundos de índice estiveram realmente sujeitos a impostos maiores,

---

[1] A Receita Federal brasileira cobra impostos que vão de 15% a 22,5% sobre o lucro obtidos nos investimentos, dependendo do tempo em que as aplicações foram mantidas. A variação das alíquotas do imposto premia o investidor de mais longo prazo, e a troca constante de investimentos e de ações pode fazer com que o imposto de renda acabe com o ganho que você obteve no mercado. *(N. do E.)*

em grande parte derivados de sua receita dos dividendos. Os custos extremamente baixos dos fundos de índice consomem menos receita dos dividendos em comparação com os fundos ativamente geridos, resultando em rendimentos maiores dos dividendos e, portanto, impostos maiores sobre os dividendos.

Em meados de 2017, o rendimento dos dividendos em um fundo de índice S&P 500 de baixo custo totalizou 2%, o *dobro* do rendimento do fundo de ações médio com gestão ativa. O imposto federal custou aos investidores tributáveis em fundos de índice cerca de 0,45% ao ano, somente cerca de um terço da carga tributária anual de 1,5% com que arcam os investidores em fundos ativamente geridos.

Dado que os fundos ativos com frequência distribuem ganhos de capital de curto prazo substanciais aos seus acionistas – que são tributados pelas taxas maiores sobre as rendas comuns, não pelas taxas menores sobre os ganhos de capital de longo prazo –, os investidores em fundos ativos enfrentam cargas fiscais substanciais que os investidores em fundos de índice não enfrentam.

Resultado: o fundo de ações médio com gestão ativa obteve um retorno anual líquido de impostos de 6,6%, comparado com 8,6% para o investidor em fundo de índice. Capitalizado, um investimento inicial em 1991 de 10 mil dólares gerou um lucro de 39.700 dólares descontados os impostos para os fundos ativos, menos de 60% dos 68.300 dólares do crescimento acumulado no fundo de índice.

O fundo ativo fica para trás: uma perda para seus investidores de cerca de 28.600 dólares.*

---

* O investidor em fundo indexado estaria sujeito a impostos sobre quaisquer ganhos obtidos ao liquidar as ações. Mas, para um investidor dos Estados Unidos que lega as ações aos herdeiros, o custo seria "aumentado" para seu valor de mercado na data da morte e nenhum ganho de capital seria reconhecido ou taxado. *(N. do A.)*

Os retornos dos fundos são assolados por custos, seleções desfavoráveis de fundos, timing errado, impostos e inflação.

Eu hesito em atribuir a qualquer desses fatores negativos a responsabilidade por ser "a palha que quebrou as costas do camelo" dos retornos dos fundos de ações. Mas com certeza a última palha inclui (1) os altos custos (Capítulos 4, 5 e 6), (2) as seleções desfavoráveis dos investidores e o timing de mercado contraproducente (Capítulo 7), e (3) impostos (Capítulo 8). De qualquer ponto de vista, as costas do camelo com certeza estão quebradas. Mas a derradeira palha, ao que se revela, é a inflação.

Retornos nominais vs. retornos reais

Quando pagamos nossos custos do fundo em dólares *correntes*, ano após ano – e é exatamente assim que pagamos as despesas de nosso fundo e nossos impostos sobre os ganhos de capital do fundo (muitas vezes realizados a curto prazo) –, mas acumulamos nossos ativos somente em dólares *reais*, erodidos pelo aumento implacável do custo de vida que foi embutido na economia, os resultados são assoladores.

É realmente notável – e pouco louvável – que essa devastação seja tantas vezes ignorada nas informações fornecidas pelos fundos mútuos aos seus investidores.

Um paradoxo: embora o fundo de índice tenha uma notável *eficiência* fiscal em gerir os ganhos de capital, ele tem uma relativa *ineficiência* fiscal ao distribuir a receita dos dividendos. Por quê? Porque seus custos muito baixos fazem com que quase todos os dividendos pagos pelas ações do fundo de índice de baixo custo fluam direto para as mãos dos acionistas do fundo, resultando em impostos maiores.

NÃO ACREDITE APENAS EM MIM

Considere as seguintes palavras de um artigo de **John B. Shoven**, da Universidade de Stanford e do National Bureau of Economic Research, e **Joel M. Dickson**, então do Banco Central americano (agora dirigente na Vanguard): "Os fundos mútuos têm falhado em gerir seus ganhos de capital realizados de modo a permitir um substancial diferimento de impostos, [aumentando] assim consideravelmente as contas de impostos dos investidores. [...] Se o Fundo de Índice Vanguard 500 pudesse ter diferido todos os seus ganhos de capital realizados, teria terminado no 91,8º percentil para o investidor com imposto elevado" (ou seja, superado 92% de todos os fundos de ações administrados).

• • •

Ou ouça o consultor de investimentos **William Bernstein**: "Embora provavelmente seja má ideia possuir fundos mútuos ativamente geridos em geral, realmente é uma ideia *terrível* possuí-los em contas tributáveis [...] [os impostos são] um obstáculo de até 4 pontos percentuais no desempenho a cada ano [...] muitos fundos de índice permitem que seus ganhos de capital cresçam em grande parte intactos até você vender. [...] *Para o investidor tributável, indexar significa nunca ter de dizer que está arrependido.*"

• • •

E **Burton G. Malkiel** de novo faz sua aposta no fundo de índice: "Os fundos de índice são [...] amigáveis em termos de impostos, permitindo que os investidores difiram a realização dos ganhos de capital ou os evitem por completo se as ações forem legadas mais tarde. Enquanto a tendência de alta dos preços das ações no longo prazo continuar, mudar de um título mobiliário para outro envolve realizar ganhos de capital sujeitos a tributação. Os impostos são um fator financeiro de crucial importância, porque a realização prematura dos ganhos de capital reduzirá substancialmente os retornos líquidos. Os fundos de índice não transacionam de um título mobiliário para outro e, assim, tendem a evitar os impostos sobre ganhos de capital."

9

Quando os bons tempos terminam

É mais sensato fazer o planejamento com base em retornos futuros menores nos mercados de ações e títulos de dívida.

LEMBRE-SE DO PRINCÍPIO infalível descrito no Capítulo 2: no longo prazo, é a realidade do negócio – os rendimentos dos dividendos e o crescimento dos lucros das empresas – que determina os retornos gerados pelo mercado de ações. Paradoxalmente, porém, se considerarmos simplesmente apenas os 43 anos desde que fundei a Vanguard, em 24 de setembro de 1974, os resultados oferecidos pelo mercado de ações superaram os retornos obtidos pelas empresas por uma das maiores margens em qualquer período de tal extensão em toda a história do mercado americano.

Especificamente, os rendimentos dos dividendos e o crescimento dos lucros das empresas de capital aberto que compõem o S&P 500 levaram a um retorno do *investimento* de apenas 8,8% durante esse período (rendimento dos dividendos de 3,3% mais crescimento dos lucros de 5,5%), mas o retorno anual total foi de 11,7% (ver Figura 9.1).

Um total de 2,9 pontos percentuais do retorno do mercado – 25% do total – deveu-se ao retorno especulativo. Esse ganho refletiu uma reavaliação para cima das ações pelos investidores, à medida que o índice preço/lucro mais do que triplicou, de 7,5 o lucro para 23,7 (ao longo do período a contribuição média do retorno especulativo para o retorno anual total do mercado desde 1900 foi de apenas 0,5 ponto percentual, somente cerca de um quinto da abundância que os investidores americanos têm desfrutado desde 1974).

Os efeitos cumulativos desses retornos capitalizados são desconcertantes (Figura 9.1). No decorrer desse período de 43 anos, um investimento inicial de 10 mil dólares teria aumentado para quase 1,09 milhão. Desse acúmulo de mais de 1 milhão de dóla-

FIGURA 9.1 Retorno do investimento cumulativo e retorno especulativo, 1974-2016

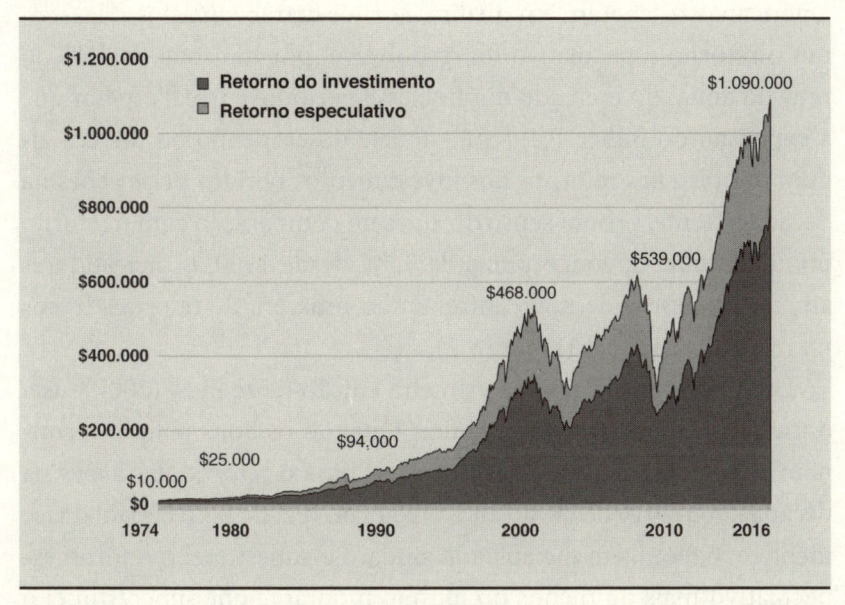

Os desconcertantes efeitos cumulativos dos retornos capitalizados.

res, cerca de 270 mil podem ser atribuídos ao retorno especulativo, enquanto os 810 mil restantes se deverão aos dividendos e ao crescimento dos lucros.

No entanto, esse índice P/L notadamente baixo de 7,5 em setembro de 1974 veio após uma queda de 50% do mercado de ações. Ele refletiu o profundo pessimismo, o medo excessivo e a preocupação generalizada entre os investidores durante a crise do petróleo. Nos últimos 10 anos, como já falamos anteriormente, esse índice oscilou em torno de 20.

> **Tanto o bom senso quanto a humilde matemática indicam que estamos enfrentando uma era de retornos fracos no mercado de ações.**

Ao longo de mais de quatro décadas, os investidores em ações americanas receberam em média retornos extraordinários. Mas, como o retorno especulativo foi responsável por um total de 25% do retorno anual do mercado durante esse período, é irreal esperar que a expansão do índice P/L repita aquele desempenho ou ofereça algum impulso aos retornos dos investimentos obtidos pelas ações na década à frente. O bom senso diz que, em comparação com o retorno nominal anual de longo prazo de 9,5% desde 1900, os investidores americanos estão de novo enfrentando uma era de retornos fracos no mercado de ações (Figura 9.2).

Digo *de novo* porque, na primeira edição deste livro (2007), usei o mesmo título para este capítulo: "Quando os bons tempos terminam". Ali, defini expectativas razoáveis para o retorno das ações na década 2006-2016 de 7% ao ano. O retorno real do S&P 500 foi quase idêntico: 6,9%. (Não me aplauda ainda. Eu subestimei o retorno especulativo mais ou menos no mesmo montante que superestimei o retorno do investimento.)

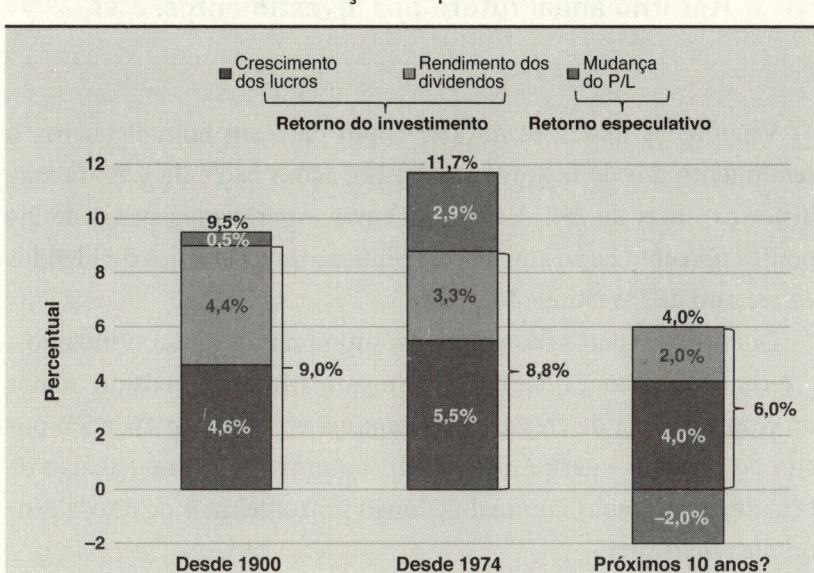

FIGURA 9.2 Retorno total das ações no passado e no futuro

- Crescimento dos lucros
- Rendimento dos dividendos
- Mudança do P/L

Retorno do investimento | Retorno especulativo

Desde 1900: 4,6% + 4,4% + 0,5% = 9,5% (investimento 9,0%)
Desde 1974: 5,5% + 3,3% + 2,9% = 11,7% (investimento 8,8%)
Próximos 10 anos?: 4,0% + 2,0% + −2,0% = 4,0% (investimento 6,0%)

A matemática por trás da cautela: as fontes dos retornos das ações

Por que a cautela continuada? Simplesmente porque as fontes dos retornos das ações americanas nos recomendam que sejamos cautelosos.

Lembre-se da advertência de lorde Keynes citada no Capítulo 2: "É perigoso [...] aplicar ao futuro argumentos indutivos com base na experiência passada, a não ser que se consigam distinguir as razões amplas pelas quais a experiência do passado foi como foi." Naquele capítulo, descrevi três fontes de retorno em ações: o rendimento dos dividendos e o crescimento dos lucros e as mudanças no índice P/L.

Retorno anual futuro dos investimentos: 6%?

Vejamos as fontes de retorno como parecem hoje. Primeiro, o rendimento dos dividendos atual sobre ações não é de 4,4% (a taxa histórica), mas de 2%. Assim, podemos esperar uma perda de 2,4 pontos percentuais ao ano na contribuição da receita dos dividendos ao retorno do investimento.

Quanto aos lucros das empresas, suponhamos que continuarão a crescer (como, com o tempo, geralmente acontece) mais ou menos no ritmo da taxa de crescimento *nominal* esperada de 4% a 5% por ano do produto interno bruto (PIB) na próxima década, abaixo da taxa de crescimento nominal de longo prazo de mais de 6% da economia americana.

Caso essa expectativa se mostre razoavelmente precisa, a perspectiva mais provável para o retorno do investimento em ações estaria na faixa de 6% a 7%. Serei cauteloso e projetarei um retorno do *investimento* anual de 6% em média.

Retorno anual especulativo futuro: *menos* 2%?

Agora considere o retorno *especulativo*. No início de 2017, o índice preço/lucro das ações era de 23,7. Esta cifra baseia-se no *lucro de 2016 informado pelas empresas que compõem o S&P 500*. Se o índice P/L permanecer nesse nível daqui a uma década, o retorno *especulativo* nada acrescentaria nem subtrairia desse possível retorno do investimento de 6%.

Os estrategistas de Wall Street geralmente preferem calcular o P/L usando o *lucro operacional projetado para o próximo ano* em vez do *lucro passado informado*. Tais lucros operacionais excluem as baixas por atividades empresariais descontinuadas e outras coisas ruins e projeções de lucros futuros que podem ou não ser realizadas. Usando o lucro operacional projetado para 2018, o índice P/L é de apenas 17 para Wall Street. Eu desconsideraria esta projeção.[1]

Meu palpite – um palpite informado, mas ainda assim um palpite – é que, em 2027, o índice P/L poderia cair para, digamos, 20 ou ainda menos. Tal reavaliação reduziria o retorno do mercado em cerca de 2 pontos percentuais ao ano, resultando em uma taxa de retorno anual de 4% para o mercado de ações americano.

Se você discorda de minha expectativa de 4%, faça a sua própria projeção.

Você não é obrigado a concordar comigo. Se acredita que o atual índice P/L estará inalterado daqui a uma década, o retorno especulativo seria zero e o retorno do investimento representaria o retorno total do mercado. Se você espera que o índice aumente para 30 (eu não espero), *acrescente* 1,5 ponto percentual, levando o retorno anual das ações para 7,5%. Se você acha que o P/L cairá para 12, *subtraia* 7 pontos percentuais, reduzindo o retorno nominal total das ações para *menos* 1%.

Meu argumento é que você não precisa aceitar meu cenário cauteloso. Sinta-se à vontade para discordar. Projete você mesmo a próxima década aplicando o rendimento dos dividendos atual (não há como escapar disso!), suas expectativas racionais para o crescimento dos lucros e sua visão do índice P/L em 2030. Esse total representará sua expectativa razoável dos retornos das ações na próxima década.

---

[1] Essa projeção realmente se confirmou falha: o índice P/L do S&P 500 em janeiro de 2018 foi de quase 25. *(N. do E.)*

A fonte dos retornos dos títulos de dívida: o rendimento de juros atual

Desenvolver expectativas razoáveis sobre retornos futuros dos títulos de dívida é ainda mais simples do que sobre ações. Por quê? Porque, enquanto os retornos das ações têm as três fontes identificadas anteriormente, os retornos dos títulos de dívida têm apenas uma fonte essencial: a taxa de juros predominante quando os títulos de dívida são comprados.

Sim, o rendimento atual de um título de dívida (ou de uma carteira de títulos de dívida) representa o retorno esperado se o título for mantido no longo prazo. Historicamente, o rendimento inicial tem se mostrado um indicador confiável dos resultados futuros. De fato, 95% dos retornos de uma década de títulos de dívida desde 1900 têm sido explicados pelo rendimento inicial (Figura 9.3). É claro!

Por que é assim? Porque o emissor de um título de dívida de 10 anos está comprometido a reembolsar seu principal a 100% ao fim de uma década e, no caso de títulos de dívida com grau de investimento, essa promessa geralmente tem sido cumprida. Assim, praticamente todo o retorno do investidor deriva do pagamento de juros. Sim, nesse ínterim o valor de mercado do título de dívida variará com a mudança dos níveis das taxas de juros. Mas, quando o título é mantido até o vencimento, essas flutuações não importam.

A Figura 9.3 mostra a relação incrivelmente próxima entre o rendimento inicial da obrigação do Tesouro americano de 10 anos e seu retorno subsequente ao fim dos 10 anos. Observe o longo ciclo de seus rendimentos (e retornos subsequentes) de uma baixa de 0,6% em 1940 a uma alta de 14,0% (incrível!) em 1981. Depois eles caem até 1,8% em 2012, antes de se recuperar ligeiramente para 2,2% em meados de 2017.

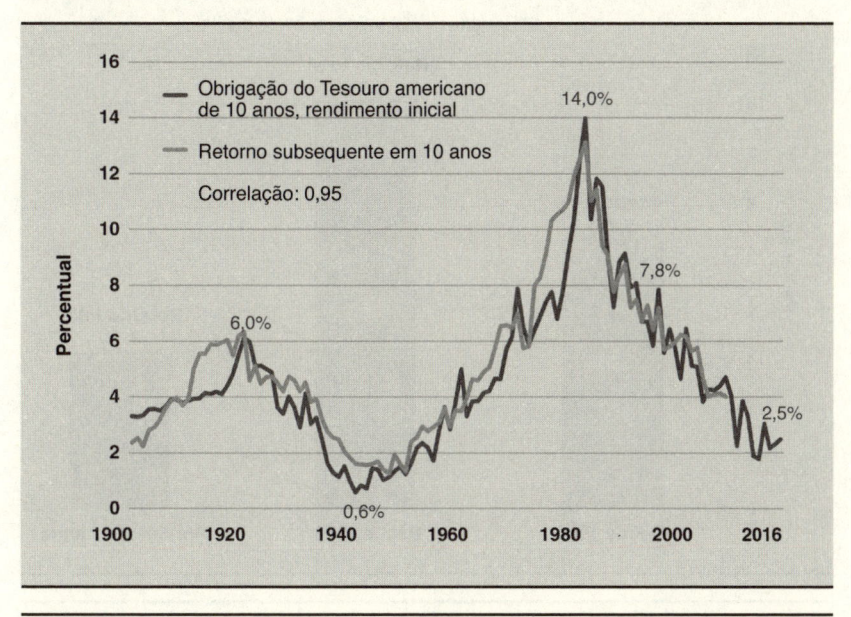

FIGURA 9.3 Rendimento inicial dos títulos de dívida e resultados subsequentes

- Obrigação do Tesouro americano de 10 anos, rendimento inicial
- Retorno subsequente em 10 anos

Correlação: 0,95

A obrigação do Tesouro tem um risco mínimo (ou até zero!) de reembolso, ou seja, o risco de que o principal do título não será reembolsado quando vencer. Assim, seu rendimento atual subestima fortemente os retornos futuros do amplo mercado de títulos de dívida, porque as debêntures oferecem um risco de reembolso maior.

Desse modo, desenvolverei minha expectativa de retornos futuros dos títulos de dívida com base em uma carteira que consiste em 50% de obrigações do Tesouro americano, agora rendendo 2,2%, e 50% em debêntures com grau de investimento, agora rendendo 3,9%. Essa combinação gera um rendimento de 3,1% em uma carteira de títulos de dívida altamente diversificada.

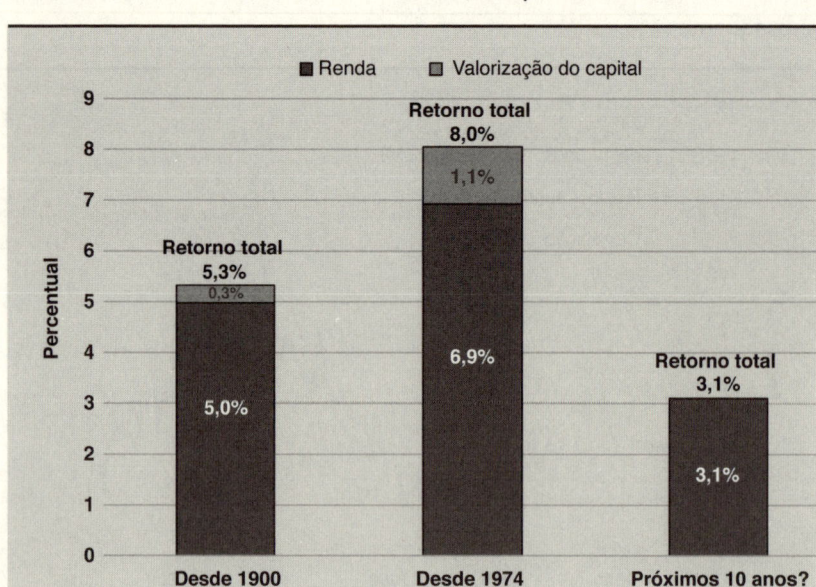

FIGURA 9.4 Retorno total dos títulos de dívida, passado e futuro

[Gráfico de barras mostrando:
- Desde 1900: Retorno total 5,3% (Renda 5,0%, Valorização do capital 0,3%)
- Desde 1974: Retorno total 8,0% (Renda 6,9%, Valorização do capital 1,1%)
- Próximos 10 anos?: Retorno total 3,1% (3,1%)]

Dessa forma, uma expectativa razoável aponta para um retorno anual de 3,1% dos títulos de dívida na próxima década.[2]

Durante a próxima década, os retornos dos títulos de dívida americanos, assim como os das ações negociadas nos Estados Unidos, tendem a cair bem abaixo das cifras históricas (Figura 9.4).

No longo período que se inicia em 1900, o retorno anual dos títulos de dívida foi em média de 5,3%. Durante a era moderna desde 1974, o retorno dos títulos de dívida foi bem maior, em média 8,0% anuais.

---

[2] Para fazer uma comparação, o Tesouro brasileiro oferta uma ampla variedade de títulos da dívida pública. Dentre as opções existentes estão títulos prefixados, que permitem que o investidor saiba na hora da compra o retorno que vai obter no futuro, e pós-fixados, que estão sujeitos a outros fatores e indexações. Os mais comuns têm o seu retorno atrelado à taxa básica de juros (Selic) ou à inflação, medida pelo Índice Nacional de Preços ao Consumidor Amplo (IPCA), do IBGE. *(N. do E.)*

Esse retorno tem sido causado em grande parte pela longa e constante alta do mercado iniciada em 1982, quando as taxas de juros despencaram e os preços subiram.

Com a perspectiva de retornos menores para ações e títulos de dívida, as carteiras balanceadas de ações/títulos de dívida seguirão a tendência.

Combinar essas expectativas razoáveis de retornos futuros em uma carteira balanceada consistindo em 60% de ações e 40% de títulos de dívida daria a expectativa de um retorno anual nominal bruto de 3,6% na próxima década, antes da dedução dos custos do investimento. Claro que as expectativas podem se mostrar baixas ou altas demais. Mas ajudam a criar uma base realista para seu planejamento financeiro.

De qualquer modo, esse retorno anual esperado de 3,6% ficaria bem abaixo da média de longo prazo de 7,8% para uma carteira balanceada dessa forma e do notável retorno de 10,2% desde 1974 (Figura 9.5).

Quando convertemos esses retornos anuais nominais em retornos reais (pós-inflação), vemos uma defasagem menor, mas ainda substancial: retorno histórico: 4,8%; desde 1974: 6,3%; na próxima década, talvez 1,6% (ver tabela na base da Figura 9.5).

Se as expectativas racionais indicam um retorno anual bruto futuro de 3,6% para um fundo balanceado, qual é sua implicação para o retorno líquido dos cotistas do fundo balanceado?

Em meados de 2017, vamos presumir que 3,6% seja uma expectativa racional (*não* uma previsão!) dos retornos anuais de uma carteira balanceada durante a próxima década. Mas lembre-se, por favor, que os investidores como um todo não conseguem capturar a totalidade dos retornos do mercado. Por quê? Simplesmente porque investir nos mercados de ações e títulos de dívida via fundos ativamente geridos implica um custo anual estimado de ao menos 1,5% nos Estados Unidos.[3]

Para calcular o retorno provável do fundo mútuo balanceado médio com gestão ativa nesse ambiente, simplesmente lembre-se da humilde matemática dos investimentos em fundos: retorno nominal do

FIGURA 9.5 Retorno total da carteira balanceada de ações/títulos de dívida 60/40 – Passado e futuro

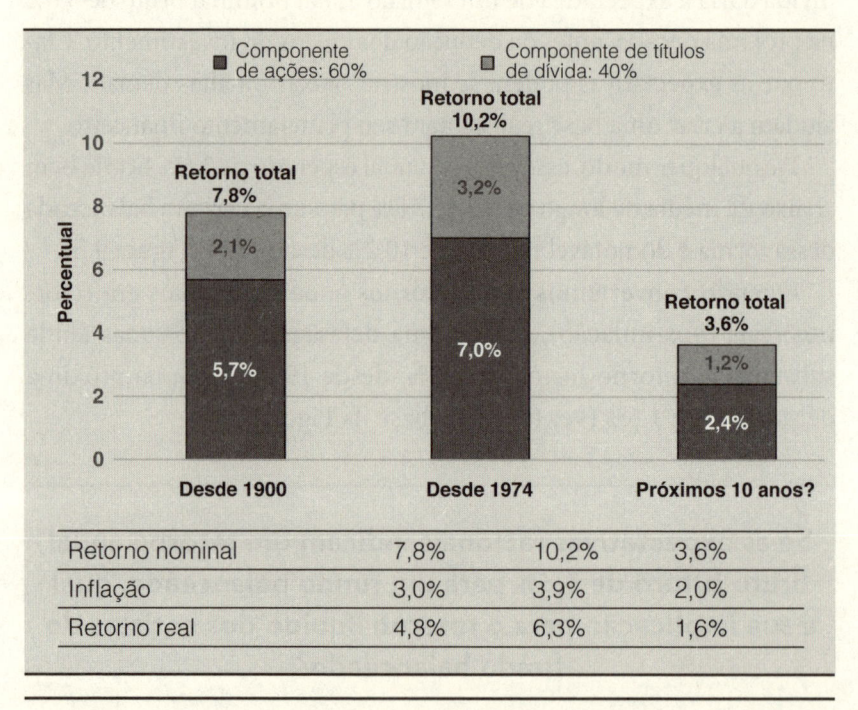

	Desde 1900	Desde 1974	Próximos 10 anos?
Retorno nominal	7,8%	10,2%	3,6%
Inflação	3,0%	3,9%	2,0%
Retorno real	4,8%	6,3%	1,6%

---

[3] No Brasil, cerca de 1%, conforme falamos anteriormente sobre as taxas de administração (Capítulo 4). *(N. do E.)*

mercado menos custos do investimento menos uma suposta taxa de inflação de 2% (ligeiramente acima da taxa que os mercados financeiros estão projetando agora para a inflação americana na próxima década) igual a apenas 0,1% ao ano. Eis a matemática:

Retorno bruto nominal	3,6%
Custos do investimento	-1,5%
Retorno líquido nominal	2,1%
Inflação	-2,0
Retorno anual real	0,1%

Pode parecer absurdo projetar um retorno de quase zero para o típico fundo balanceado. Mas, se você recordar a lição aprendida no Capítulo 7, o *investidor* em fundo balanceado médio obterá ainda menos. Os números estão lá.

A título de comparação, em um ambiente de retornos menores, um fundo de índice balanceado de baixo custo com custos anuais de apenas 0,1% poderia oferecer um retorno anual real de, digamos, 1,5% – significativamente maior que o de um fundo ativamente gerido. Não é grande, mas ao menos é positivo, e quase infinitamente melhor.

Se o setor de fundos americano não começar a mudar, o fundo ativamente gerido típico parece ser uma opção de investimento singularmente infeliz.

O fato é que retornos menores ampliam fortemente a matemática implacável dos custos excessivos dos fundos mútuos. Por quê? Nos Estados Unidos, os custos do fundo mútuo de ações de 2% combinados com a inflação de 2% consumiriam "apenas" cerca de 25% de um retorno nominal de 15% das ações e "apenas" 40% de um retorno de 10%. Mas os custos e a inflação consumiriam (espero que você esteja sentado!) 100% do retorno nominal de 4% das ações sugerido pelas expectativas racionais.

Se o setor de fundos não começar a mudar – reduzindo drasticamente as taxas de administração, as despesas operacionais, as comissões de vendas e a rotatividade da carteira (e seus custos concomitantes) –, os fundos ativamente geridos de alto custo parecem ser uma opção singularmente infeliz para os investidores.

Um retorno real zero obtido pelo fundo de ações ativo médio deveria ser inaceitável. O que os investidores em fundos de ações podem fazer para não cair na armadilha dessas regras implacáveis da humilde matemática? Como podem evitar a devastação financeira que advém quando altos custos de investimento se aplicam a retornos futuros que tendem a ficar bem abaixo das cifras de longo prazo?

Dentre cinco meios de evitar a devastação financeira, somente dois funcionam.

Eis cinco opções tentadoras para melhorar os retornos de seus investimentos:

1. Escolha um fundo de índice de custo bem baixo que simplesmente replique a carteira do índice do mercado de ações.
2. Escolha fundos ativos ou balanceados com custos baixíssimos.
3. Escolha fundos vitoriosos com base nos seus históricos de longo prazo.

4. Escolha fundos vitoriosos com base nos seus desempenhos recentes de curto prazo.
5. Obtenha orientação profissional para selecionar fundos que tendem a superar o mercado.

Qual opção você escolhe? Dica: existem grandes chances de que as duas primeiras opções praticamente garantirão o sucesso do seu investimento ao capturarem todos os retornos que os mercados financeiros mostrem que conseguem oferecer. As chances de sucesso das três últimas opções são pífias. Discutiremos as limitações de cada uma nos próximos três capítulos.

NÃO ACREDITE APENAS EM MIM

Quase todo economista, acadêmico e estrategista do mercado de ações que estude seriamente os mercados financeiros junta-se a mim na conclusão de que, sim, os bons tempos que desfrutamos no mercado de ações desde o fundo do poço do outono de 1974 não se repetirão no futuro de prazo maior.

Veja estas projeções da **AQR Capital Management**, uma das maiores e mais bem-sucedidas administradoras de investimentos alternativos: "A expectativa de retorno dos investimentos é baixa. Esperamos um retorno real de 4,0% em ações e 0,5% em títulos de dívida, um retorno real de 2,6% [antes dos custos do investimento] em uma carteira de ações/títulos de dívida 60/40."

• • •

Essas projeções da AQR parecem bem otimistas perto daquelas de **Jeremy Grantham**, líder de longa data da GMO e consultor de grandes fundos de doação. Nos próximos sete anos, a GMO espera um retorno anual real de menos 2,7% em ações americanas e um retorno de menos 2,2% em títulos de dívida – para uma carteira balanceada 60/40, um retorno real de menos 2,5%.

• • •

Gary P. Brinson, analista financeiro certificado e ex-presidente da UBS Investment Management, ecoa meu tema: "Para a totalidade dos mercados, a quantidade de valor adicionado, ou alfa, precisa ter soma zero. O alfa positivo de uma pessoa é o alfa negativo de outra. Coletivamente, para as áreas institucional, de fundos mútuos e de bancos privados, o retorno alfa agregado será zero ou negativo depois de deduzidos os custos das transações.

"As taxas agregadas para os administradores ativos deveriam ser, portanto, no máximo, as taxas associadas à administração passiva. No entanto, essas taxas são várias vezes maiores do que as taxas que estariam associadas à administração passiva. Esse problema ilógico um dia terá de acabar."

• • •

Ou considere estas palavras de **Richard M. Ennis**, analista financeiro certificado da Ennis Knupp + Associates e editor do *Financial Analysts Journal*: "Atualmente, com as taxas de juros perto de 4% [agora estão ainda mais baixas, cerca de 3%] e as ações rendendo menos de 2%, poucos dentre nós esperam retornos do investimento de dois dígitos para qualquer período extenso no futuro próximo. Contudo, vivemos com um legado daquela época: estruturas de taxas historicamente altas provocadas por trilhões e trilhões de dólares em busca de crescimento durante a alta e proteção depois dela. Segundo, enfrentando o duplo desafio da eficiência do mercado e dos custos altos, os investidores continuarão transferindo ativos da administração ativa para a passiva. [...] O impulso para tal mudança será a percepção crescente de que as altas taxas solapam o potencial de desempenho até mesmo de administradores hábeis."

10

Como selecionar vencedores de longo prazo

Não procure a agulha, compre o palheiro.

A MAIORIA DOS INVESTIDORES olha para os retornos passados decepcionantes dos fundos mútuos como um todo e pensa: "Realmente, mas selecionarei somente aqueles com bom desempenho!" Soa fácil, mas selecionar fundos vitoriosos de antemão é mais difícil do que parece. Sim, sempre existem alguns vitoriosos que sobrevivem por mais de um quarto de século, mas não muitos. Porém, se examinarmos os históricos do desempenho passado, é fácil encontrá-los.

Os fundos mútuos dos quais ouvimos falar mais são aqueles que iluminaram o céu com o brilho do sucesso passado. Não ouvimos falar muito daqueles que tiveram bom desempenho por um tempo – ainda que por um longo tempo – e depois fracassaram. E, quando fracassam, com frequência encerram as atividades – sendo liquidados ou se fundindo com outros fundos. De qualquer modo, eles desaparecem, consignados à lata de lixo da história dos fundos de investimento.

Mas, por mais fácil que seja identificar os vitoriosos do passado, poucos são os indícios de que tal desempenho persista no futuro. Vejamos primeiro os históricos dos fundos que venceram em um prazo muito longo.

A Figura 10.1 retrocede até 1970 e mostra os históricos de 46 anos dos 355 fundos de ações que existiam no início daquele período. A primeira e mais óbvia surpresa espera por você: *um total de 281 daqueles fundos – quase 80% – encerrou as atividades.* Se seu fundo não perdura no longo prazo, como você pode investir para o longo prazo?

FIGURA 10.1 Vencedores, perdedores e fracassos: retornos de longo prazo dos fundos mútuos, 1970-2016

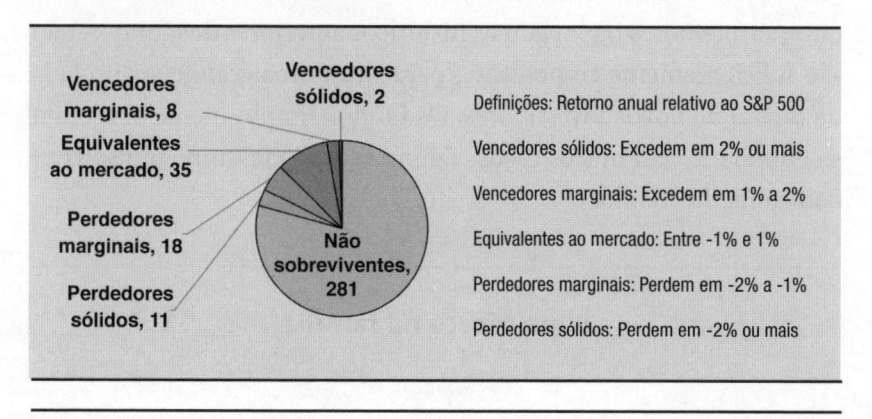

Vencedores marginais, 8
Vencedores sólidos, 2
Equivalentes ao mercado, 35
Perdedores marginais, 18
Perdedores sólidos, 11
Não sobreviventes, 281

Definições: Retorno anual relativo ao S&P 500
Vencedores sólidos: Excedem em 2% ou mais
Vencedores marginais: Excedem em 1% a 2%
Equivalentes ao mercado: Entre -1% e 1%
Perdedores marginais: Perdem em -2% a -1%
Perdedores sólidos: Perdem em -2% ou mais

Uma taxa de fracasso de quase 80% dos fundos

Você pode presumir com certeza que não foram os fundos com melhor desempenho que sofreram as merecidas mortes. Foram os perdedores que desapareceram. Às vezes seus administradores foram em frente (a permanência média de gestores de carteiras de fundos de ações ativos é de pouco menos de nove anos). Às vezes conglomerados financeiros gigantescos adquiriram gestoras e os novos proprietários decidiram "fazer uma limpa na linha de produtos" (esses conglomerados, verdade seja dita, estão em atividade basicamente para obter um retorno do capital *deles* como proprietários da administradora de fundos, não do *seu* capital como proprietário de fundos). Investidores fogem com frequência de fundos com desempenho sofrível, os ativos dos fundos encolhem e eles se tornam um empecilho para o lucro de seus administradores. Existem muitos motivos para os fundos desaparecerem, poucos deles bons para os investidores.

Mas mesmo fundos com históricos sólidos de longo prazo encerram as atividades. Muitas vezes, suas administradoras são adquiridas por empresas de marketing cujos executivos ambiciosos concluem que, por melhores que sejam os históricos anteriores dos fundos, não são suficientemente empolgantes para atrair uma grande quantidade de capital de novos investidores. Os fundos simplesmente perderam sua utilidade. Em outros casos, alguns anos de desempenho sofrível dão conta do recado.

Uma morte na família

Infelizmente, pouco mais de uma década atrás, o segundo fundo mais antigo de todo o setor de fundos mútuos foi vítima dessas atitudes, tendo suas atividades encerradas pelo novo proprietário de sua administradora. Embora tivesse sobrevivido aos mercados tempestuosos dos 80 anos anteriores, o fundo morreu: *State Street Investment Trust, 1925–2005, R.I.P.* Como um dos mais antigos participantes do setor de fundos, que lembra claramente o histórico esplêndido desse fundo por tantos anos, considero a perda do State Street Investment Trust como uma morte na família.

As chances contra o sucesso são terríveis: somente dois dentre 355 fundos ofereceram um desempenho realmente superior.

De qualquer modo, 281 dos fundos de ações existentes em 1970 desapareceram, na maioria aqueles com mau desempenho. Outros 29 permanecem apesar do desempenho bem abaixo do S&P 500 em mais de um ponto percentual por ano. Juntos, então, 310 fundos – 87% dos fundos dentre aqueles 355 originais –, de uma forma ou de outra, não conseguiram se destacar. Outros 35 fundos ofereceram retornos com uma margem de um ponto percentual a mais ou a menos do retorno do S&P 500 – acompanharam o mercado, por assim dizer.

Restam, assim, apenas 10 fundos mútuos – *somente um fundo dentre cada 35* – que superaram o mercado em mais de um ponto percentual ao ano. Vamos encarar a realidade: *um desempenho terrível!* Ademais, a margem de superioridade de oito desses 10 fundos em relação ao S&P 500 foi de menos de dois pontos percentuais por ano, uma superioridade que pode se dever à sorte tanto quanto à habilidade.

A história do Fundo Magellan

Ainda nos restam dois vencedores sólidos no longo prazo que superaram o S&P 500 em mais de 2 pontos percentuais anuais desde 1970. Permita que eu os cumprimente: Fidelity Magellan (+2,6% ao ano em relação ao S&P 500) e Fidelity Contrafund (+2,1%).

Constitui uma tremenda realização superar o mercado em mais de dois pontos percentuais no retorno anual por quase meio século. Não se deixe enganar a respeito. Mas aqui um fato curioso – talvez óbvio – emerge. Examinemos os históricos desses dois fundos para ver o que podemos aprender.

A Figura 10.2 mapeia o crescimento dos ativos do Magellan (área sombreada) e seu retorno em relação ao S&P 500 (linha preta). Quando a linha sobe, o Magellan está superando o índice; quando cai, o índice está vencendo.

O excepcional administrador de fundos Peter Lynch geriu o Magellan durante seu auge (de 1977 a 1990). Desde então, cinco diferentes administradores também geriram o fundo.* Mas há mais do que habilidade gerencial (ou sorte) envolvida aqui. O desconcertante aumento dos ativos do Magellan também precisa ser levado em conta.

FIGURA 10.2 Fidelity Magellan: histórico de longo prazo versus S&P 500, 1970-2016

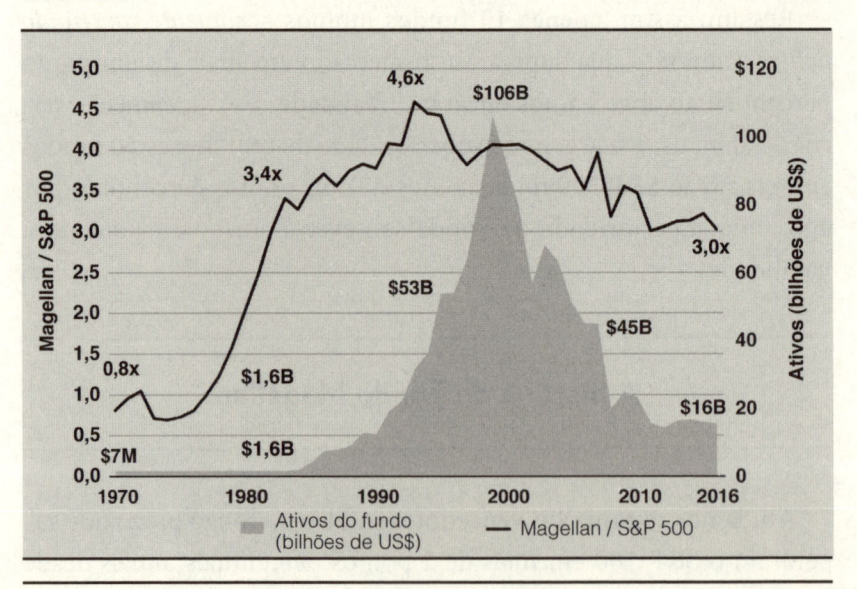

---

* Como informado no *The Wall Street Journal* em 28 de maio de 2004, o então administrador do Fundo Magellan, Bob Stansky, afirmou que esperava "superar o mercado em dois a cinco pontos percentuais anualmente ao longo do tempo. 'Quero vencer'". Durante a gestão de Stansky, o Magellan ficou atrás do S&P 500 em 1,2% ao ano. Ele foi substituído em 2005. Um negócio difícil. *(N. do A.)*

Seus maiores ganhos foram obtidos logo após a criação do Magellan com ativos de apenas 7 milhões de dólares. Naqueles primórdios, o fundo superou o S&P 500 por surpreendentes 10% ao ano (Magellan: 18,9%, S&P 500: 8,9%). Depois que os ativos do fundo ultrapassaram a marca de 1 bilhão de dólares em 1983, a superioridade do fundo em relação ao mercado continuou, embora a uma taxa menor, mas ainda impressionante, de 3,5% ao ano (Magellan: 18,4%, S&P 500: 14,9%) até os ativos do fundo atingirem a marca de 30 bilhões de dólares em 1993.

Embora o fundo continuasse a crescer, atingindo um ápice de 105 bilhões de dólares no fim de 1999, sua superioridade relativa deixou de persistir, perdendo para o S&P 500 por 2,5% ao ano (Magellan: 21,1%, S&P 500: 23,6%) de 1994 até 1999.

O mau desempenho do fundo continuou após a virada do século, perdendo para o S&P 500 por 1,8% ao ano (Magellan: 2,7%, S&P 500: 4,5%) mesmo quando seus ativos despencaram drasticamente, de 105 bilhões de dólares em 1999 para 16 bilhões no fim de 2016, uma queda de 85%. Com o dinheiro fluindo para o Magellan quando ele era "quente" e saindo quando se tornou "frio", esse pode ser o caso clássico de comportamento contraproducente do investidor.

A história do Contrafund

A história do Contrafund, até agora, não difere da história do Magellan durante seus primeiros 30 anos – um grande sucesso seguido de, bem, regressão à média. Will Danoff foi o principal administrador da carteira desde 1990. Não há como criticar sua notável realização no Contrafund.

Antes de Danoff assumir o controle, o fundo superava o S&P 500 por 1% ao ano (Contrafund: 12,6%, S&P 500: 11,6%). Danoff quase triplicou essa vantagem anual durante sua gestão até 2016 (Contrafund: 12,2%, S&P 500: 9,4%) (ver Figura 10.3). No entanto, *a regressão* à média sempre acaba atacando. Nos últimos cinco anos, o Contrafund ficou aquém do S&P 500 em menos 1,2% ao ano (Contrafund: 13,5%, S&P 500: 14,7%).

FIGURA 10.3 Fidelity Contrafund: histórico de longo prazo versus S&P 500, 1970-2016

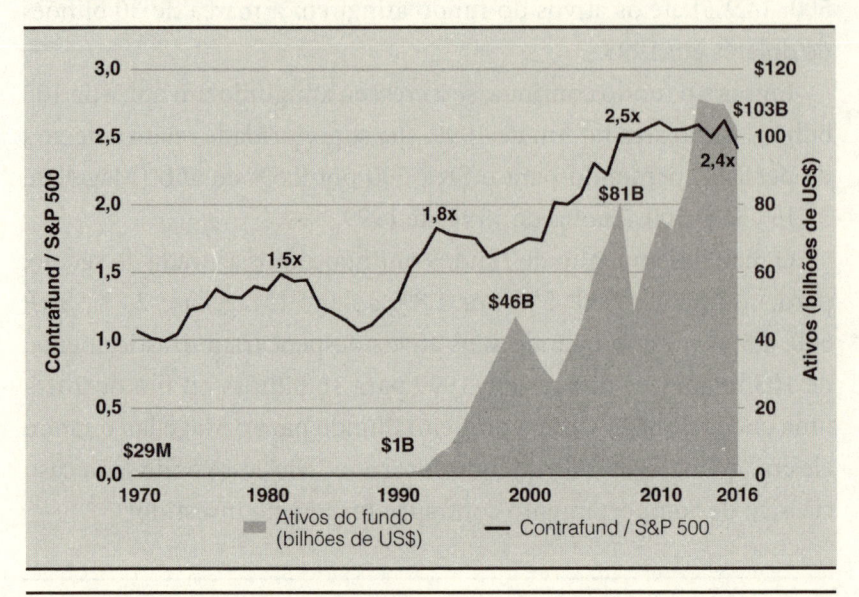

Porém, o sucesso vem com seus desafios. Os ativos do fundo totalizavam apenas 300 milhões de dólares quando Danoff assumiu em 1990. Em 2013, os ativos ultrapassaram o limiar dos 100 bilhões. Nos três anos seguintes, a superioridade do Contrafund desapareceu, ficando atrás do índice em 1,5% ao ano (Contrafund: 12,8%, S&P 500: 14,3%). O futuro, só o tempo dirá.

Quando os retornos do investimento gerados pelo Magellan e pelo Contrafund foram informados aos investidores, o dinheiro entrou e seus ativos totais atingiram níveis colossais. Mas, como nos lembra Warren Buffett, "uma carteira gorda é inimiga de retornos superiores". E foi o que aconteceu. À medida que esses dois fundos populares cresciam, seus desempenhos tornaram-se medíocres. Enquanto poucos fundos ativamente geridos atingirão em breve o tamanho gigantesco atingido pelo Magellan – e até mesmo pelo Contrafund –, muitos, provavelmente a maioria, dos administradores de fundos se defrontarão com entradas de dinheiro nos bons tempos e saídas de dinheiro nos maus tempos, um desafio fundamental à sensibilidade do setor aos retornos flutuantes dos fundos.

Viver pela espada, morrer pela espada

Nem todos os fundos da Fidelity sobreviveram ao teste do tempo enfrentado pelo Magellan e pelo Contrafund. Um exemplo de fracasso foi o Fidelity Capital Fund, constituído em 1957 e um dos astros da época áurea. De 1965 a 1972, seu retorno cumulativo totalizou 195% vs. 80% do S&P 500. Contudo, no mercado baixista que veio depois, o fundo caiu 49% (o S&P 500 caiu 37%). Alguns anos mais tarde, depois que seus ativos haviam encolhido de 727 milhões de dólares em 1967 para 185 milhões em 1978, fundiu-se com outro fundo da Fidelity. "Se você vive pela espada, morre pela espada."

Olhe (para a frente) antes de saltar.

Mas chega do passado. Vamos falar do futuro. Antes de correr para investir no Magellan ou no Contrafund por causa de seus históricos de longo prazo realmente notáveis – superando os retornos do S&P 500 em 2,5 a 3 vezes, apesar de fracassarem nos anos posteriores –, pense nos próximos 10 anos ou mais. Pense nas chances de um fundo vitorioso continuar com ótimo desempenho. Pense no tamanho atual do fundo. Pense na realidade de que, em 25 anos, o fundo típico substituirá seus gestores três vezes. Pense na possibilidade de algum investidor, ainda que seja um só, ter realmente mantido ações do fundo por toda a sua vida. Pense, também, nas chances de um fundo específico realmente *existir* daqui a 25 anos.

Seja igualmente cético em relação a qualquer fundo mútuo que obteve retornos relativos superiores ao longo de uma década ou mais no passado. O mundo dos fundos mútuos é desafiador e competitivo, e ninguém sabe o que acontecerá no futuro. Mas desejo a máxima sorte ao grupo de administradores de carteiras que sucederão o atual administrador – e aos acionistas dos fundos que eles gerem. Seja lá o que você decidir, não ignore um dos fatores menos entendidos que moldam o desempenho dos fundos mútuos: a regressão à média (seu notável poder será explorado em mais detalhes no próximo capítulo).

Não procure a agulha, compre o palheiro.

As chances de você possuir um dos únicos dois fundos mútuos (dentre 355) com desempenho de longo prazo realmente superior ao índice foram de apenas metade de 1%. Por mais que se esquadrinhem os dados, não pode haver dúvida de que fundos com o mesmo administrador de carteira há muito tempo e históricos sistemáticos de excelência, ainda que por períodos mais curtos, constituem a rara exceção, e não a regra comum no setor de fundos mútuos.

O fato simples é que tentar selecionar um fundo mútuo que superará o mercado de ações no longo prazo é, usando as palavras de Cervantes, como "procurar uma agulha em um palheiro". Assim, ofereço o corolário admoestatório: *"Não procure a agulha no palheiro. Simplesmente compre o palheiro!"*

O palheiro, é claro, é a carteira total do mercado de ações, prontamente disponível por meio de um fundo de índice de baixo custo. O retorno de um desses fundos teria mais ou menos igualado ou excedido os retornos de 345 dos 355 fundos que iniciaram a competição de 46 anos descrita anteriormente neste capítulo – 64 dos 74 fundos que sobreviveram ao longo período, mais os 281 fundos que fracassaram. Não vejo razão para que um fundo tão amplo do mercado, acompanhando o S&P 500, não possa alcançar uma realização mais ou menos comparável nos próximos anos – não por algum truque, mas meramente pelas regras implacáveis da humilde matemática que você agora deve conhecer bem.

Indexação por toda uma vida – duas grandes opções: investir em 30 ou 40 fundos com gestão ativa ou em um só fundo de índice com um não gestor.

Veja a coisa nestes termos: se você está investindo por toda a vida, tem duas opções básicas. Pode selecionar (como é típico) três ou quatro fundos ativamente geridos e esperar que tenha escolhido os bons, sabendo que os gestores de suas carteiras, em média, tendem a perdurar apenas por cerca de nove anos e que a expectativa de vida dos próprios fundos tende a não ultrapassar uma década.

Resultado: você possuirá talvez 30 ou 40 fundos durante sua vida, cada um carregando esse ônus de taxas e custos de rotatividade. Ou (nenhuma surpresa aqui) você pode investir em um fundo de índice de taxas baixas, custos de transação mínimos e amplo mercado, com a certeza de que o mesmo não gestor continuará acompanhando de perto seu índice pelo resto da sua vida. Não há como uma carteira de fundos ativamente geridos servi-lo com mais eficiência e constância do que um fundo de índice. Simplicidade, eficiência em relação aos custos e manutenção do rumo devem vencer a corrida.

Se você decidir contra a indexação...

Sabemos que o fundo de índice oferecerá substancialmente todo o retorno do mercado de ações. Quanto ao fundo ativamente gerido, sabemos que mudanças no gestor do fundo inevitavelmente ocorrerão. Sabemos que muitos dos fundos (e, infelizmente, muitos de seus gestores) morrerão. Sabemos que fundos bem-sucedidos atrairão capital em quantidades que tenderão a prejudicar seu sucesso futuro. E aceitamos nossa incapacidade de saber ao certo quanto do desempenho do fundo se baseia na sorte ou na habilidade. Em termos de desempenho dos fundos, o passado raramente é o prólogo.

Simplesmente não existe um meio sistemático de assegurar o sucesso escolhendo fundos que superarão o mercado, mesmo examinando (talvez *especialmente* examinando) seu desempenho passado no longo prazo. É como procurar uma agulha no palheiro, sim, e sem muitas chances de achá-la.

NÃO ACREDITE APENAS EM MIM

Considere as palavras de **Warren Buffett** em sua carta de 2013 aos acionistas da Berkshire Hathaway ao descrever as instruções em seu testamento para a administração do legado para sua mulher. Em vez de escolher um fundo mútuo ativamente gerido com um histórico superior, ele orientou os legatários a investirem 90% dos ativos do legado em um "fundo indexado ao S&P 500 de baixíssimo custo. (Sugiro o Vanguard.)" É razoável supor que Buffett tenha cogitado "procurar a agulha". Mas, por fim, decidiu "comprar o palheiro".

• • •

Precisa de mais conselho? Com sua costumeira sabedoria, o falecido economista **Paul Samuelson** sintetizou nesta parábola a dificuldade de escolher gestores superiores: "Suponha que fosse demonstrado que um em cada 20 alcoólatras consegue aprender a se tornar um bebedor social moderado. O médico experiente responderia: 'Ainda que seja verdade, aja como se fosse mentira, pois você nunca identificará aquele um dentre 20 e, na tentativa, cinco dentre 20 serão arruinados'. *Os investidores deveriam desistir da busca por essas agulhas miúdas em palheiros enormes.*"

• • •

No *The Wall Street Journal*, o veterano **Jonathan Clements**, titular da coluna de finanças pessoais "Getting Going", pergunta: "Você consegue reconhecer os vencedores?" A resposta: "Mesmo fãs de fundos ativamente geridos com frequência reconhecem que a maioria dos outros investidores estariam melhores em fundos de índice. Mas, animados pela autoconfiança abundante, essas pessoas não vão desistir dos fundos ativamente geridos. Um pouco ilusório? Acho que sim. Escolher fundos de melhor desempenho é 'como tentar prever os dados antes de lançá-los na mesa de jogo', diz um consultor de investimentos em Boca Raton, Flórida. 'Eu não consigo. O público não consegue.'

"Para desenvolver uma carteira bem diversificada, você poderia colocar 70% da sua carteira de ações em um fundo de índice [do mercado de ações total] e os restantes 30% em um fundo de índice internacional."

Se esses comentários de um grande administrador de investimentos, um brilhante acadêmico e um jornalista lúcido não o persuadiram dos riscos de se concentrar nos retornos passados dos fundos mútuos, simplesmente acredite no que as gestoras de fundos informam. Toda empresa no setor dos fundos reconhece minha conclusão de que o desempenho passado não ajuda a projetar os retornos futuros dos fundos mútuos. Pois, em cada prospecto de fundo mútuo, em cada folheto promocional de vendas e em cada propaganda de fundo mútuo citando os retornos do investimento no fundo, a seguinte advertência aparece (embora muitas vezes em letras miúdas demais para serem lidas): *"O desempenho passado não é garantia de retornos futuros."* Acredite!

11

"Regressão à média"
Vencedores de hoje, perdedores de amanhã

AO SELECIONAREM FUNDOS mútuos, muitos investidores em fundos parecem se basear menos no desempenho sustentado no longuíssimo prazo (com todas as suas fraquezas profundas) do que no desempenho superior no curto prazo. Em 2016, mais de 150% do fluxo de caixa líquido dos investidores foram para fundos classificados com quatro ou cinco estrelas pelo Morningstar, o serviço estatístico mais amplamente usado por investidores para avaliar os retornos dos fundos.

Essas "avaliações com estrelas" baseiam-se em uma combinação do histórico de um fundo nos períodos anteriores de três, cinco e dez anos (para fundos mais novos, as avaliações podem cobrir apenas três anos). Como resultado, o desempenho dos últimos dois anos sozinho representa 35% da classificação de um fundo com uma história de 10 anos e 65% de um fundo em atividade de três a cinco anos, uma forte tendência a favor dos retornos recentes no curto prazo.

Quão bem-sucedidas são as escolhas de fundos com base no número de estrelas concedidas por essas realizações de curto prazo?

Não muito! De acordo com um estudo de 2014 do *The Wall Street Journal*, somente 14% dos fundos de cinco estrelas em 2004 ainda conservavam essa avaliação uma década depois. Cerca de 36 daqueles fundos originalmente de cinco estrelas perderam uma estrela, e os demais 50% caíram para três ou menos estrelas. Sim, o desempenho dos fundos regride à média, ou até mesmo fica abaixo dela.[1]

A regressão à média é reafirmada nos dados amplos do setor de fundos.

Outros dados sobre os retornos dos fundos confirmam o poder da regressão à média. Veja a Figura 11.1, comparando os retornos de todos os fundos de ações ativamente geridos dos Estados Unidos em dois conjuntos consecutivos de períodos de cinco anos não sobrepostos: 2006-2011 e 2011-2016.

Nós classificamos os retornos para cada período em quintis – o quintil superior inclui fundos com o melhor desempenho e o quintil inferior contém aqueles com o pior desempenho. Examinamos, então, como os fundos iniciais se saíram no período subsequente de cinco anos.

Se fosse fácil selecionar fundos que superassem seus semelhantes comprando os vencedores de ontem, esperaríamos ver persistência, ou seja, a maioria dos fundos que terminaram o primeiro período no alto da pilha permaneceria ali no próximo período, e aqueles com pior desempenho permaneceriam assim. Mas não. Ao que vemos, a regressão à média sobrepuja a persistência.

---

[1] No Brasil, a Anbima divulga regularmente um relatório com as estatísticas do setor de fundos contendo informações como patrimônio, rentabilidade e captação, classificadas por tipos de fundo. Para consultá-los, acesse: www.anbima.com.br/pt_br/informar/estatisticas/fundos-de-investimento/fundos-de-investimento.htm *(N. do E.)*

FIGURA 11.1 Regressão à média, primeiros cinco anos (2006-2011) vs. cinco anos subsequentes (2011-2016)

Posição 2006-2011			Posição 2011-2016					
Número de fundos			Maior retorno	Alto	Médio	Baixo	Menor Retorno	Incorporado/ Fechado
Maior retorno	353%	20%	13%	13%	13%	25%	27%	10%
Alto	352%	20%	18%	15%	14%	21%	18%	12%
Médio	353%	20%	17%	17%	18%	14%	16%	18%
Baixo	352%	20%	15%	18%	20%	16%	8%	22%
Menor retorno	352%	20%	17%	18%	16%	10%	12%	26%
Total	1.762%	100%	16%	16%	16%	17%	16%	18%

Nota: Número total de fundos incorporados ou liquidados: 313.

Vejamos os fundos que ficaram no quintil superior durante o primeiro período (2006-2011). Nos cinco anos subsequentes, apenas 13% permaneceram no quintil superior. Notáveis 27% dos vencedores do primeiro período foram parar no quintil inferior e outros 25% foram parar no penúltimo (quarto) quintil. Ainda pior, 10% dos vencedores anteriores sequer sobreviveram aos cinco anos seguintes.

Na outra ponta do espectro, 17% dos perdedores do primeiro período foram parar no alto da pilha no período subsequente – ainda melhores do que os vencedores do primeiro período! E somente 12% dos perdedores repetiram seu desempenho sofrível no segundo período, enquanto 26% não sobreviveram.

Você não precisa ser um gênio da estatística para observar a notável aleatoriedade dos retornos em cada quintil, com uma regressão à média constante centrada em torno de 16% em cada quintil – menos que os 20% com que começamos no primeiro período. Esse número inferior é porque 18% dos fundos do primeiro período encerraram as atividades antes do fim do segundo período, presumivelmente por causa do mau desempenho.

Um segundo estudo reafirma o primeiro estudo – com incrível precisão.

Você deve estar se perguntando se esse padrão foi apenas um evento isolado, sem probabilidade de se repetir. Tive a mesma dúvida. Assim, examinamos o período de cinco anos não sobreposto precedente, 2001-2006, comparando-o a 2006-2011. O padrão se manteve (Figura 11.2). Dos vencedores do quintil superior de 2001 a 2006, somente 15% permaneceram no quintil superior, enquanto 20% caíram para o inferior. Ainda pior, 13% dos fundos – 45 deles – não conseguiram sobreviver.

FIGURA 11.2 Regressão à média, primeiros cinco anos (2001-2006) vs. cinco anos subsequentes (2006-2011)

Posição 2001-2006			Posição 2006-2011					
Número de fundos			Maior retorno	Alto	Médio	Baixo	Menor Retorno	Incorporado/ Fechado
Maior retorno	356	20%	15%	19%	15%	19%	20%	13%
Alto	355	20%	13%	15%	14%	15%	23%	19%
Médio	356	20%	14%	13%	17%	17%	15%	24%
Baixo	355	20%	12%	16%	16%	17%	10%	29%
Menor retorno	355	20%	18%	13%	12%	8%	6%	43%
Total	1.777	100%	14%	15%	15%	15%	15%	26%

Nota: Número total de fundos incorporados ou liquidados: 454.

Entre os perdedores do quintil inferior de 2001 a 2006, 18% acabaram o período subsequente no quintil superior – de novo, ainda melhores do que os vencedores do primeiro período, dos quais somente 15% mantiveram sua posição no topo. Apenas 6% dos fundos em pior posição repetiram seu desempenho sofrível. Dos fundos do quintil inferior, 152 (43%) não sobreviveram.

Dê uma olhada nos dados dessas duas figuras e você verá o padrão recorrente da regressão à média. Em ambas, os resultados do segundo período são essencialmente aleatórios. A grande maioria dos fundos em todos os cinco quintis obteve retornos subsequentes em grande parte distribuídos de forma relativamente igual por cada quintil de desempenho (entre 13 e 18% cada).

Desses dados, podemos concluir que a regressão à média exerce uma força poderosa nos retornos dos fundos mútuos. Existe pouca persistência nos retornos tanto entre os fundos superiores quanto nos inferiores. Não me surpreendo fácil, mas esses dados são mesmo surpreendentes. Eles derrubam o pressuposto da maioria dos investidores e consultores de que a habilidade do administrador persistirá. A maioria dos investidores parece acreditar nisso. Mas ela não persiste. *Somos "iludidos pelo acaso"* (como diz o título provocador de um livro de Nassim Nicholas Taleb).

As estrelas produzidas no setor dos fundos mútuos raramente continuam sendo estrelas; geralmente se tornam meteoros.

A mensagem é clara: a regressão à média – a tendência dos fundos cujos históricos excedem substancialmente as normas do setor a retornar à média ou abaixo dela depois de um tempo – está firme e forte no setor de fundos mútuos. Nas explosões do mercado de ações, "os primeiros serão os últimos". Mas, em ambientes mais típicos, a regressão do fundo à média constitui a regra. Assim, lembre-se que as estrelas produzidas no setor dos fundos mútuos raramente permanecem estrelas; geralmente se tornam meteoros, iluminando o firmamento por um breve momento e depois se apagando, suas cinzas flutuando suavemente rumo à Terra.

A cada ano que passa, a realidade fica mais clara: os retornos relativos dos fundos mútuos são aleatórios. Sim, existem casos raros em que a habilidade parece estar envolvida, mas seriam necessárias décadas para se descobrir quanto do sucesso de um fundo pode ser atribuído à sorte e quanto à habilidade.

Se você discordar e decidir investir em um fundo com desempenho recente superior, poderia se fazer perguntas como: (1) Por quanto tempo o administrador do fundo, com a mesma equipe e a mesma estratégia, permanecerá no emprego? (2) Se os ativos do fundo crescerem várias vezes, os mesmos retornos obtidos quando o fundo era pequeno se sustentarão? (3) Até que ponto as altas taxas de despesas e/ou a alta rotatividade da carteira prejudicaram o desempenho do fundo ou as baixas despesas e a baixa rotatividade melhoraram o desempenho? (4) O mercado de ação continuará favorecendo os mesmos tipos de ações que estiveram no núcleo do estilo do administrador?

Escolher fundos vencedores com base no desempenho passado é uma tarefa arriscada.

Em suma, selecionar fundos mútuos com base no desempenho recente tende a ser uma tarefa arriscada e quase sempre destinada a gerar retornos que ficam aquém daqueles obtidos pelo próprio mercado de ações, tão facilmente alcançáveis por intermédio de um fundo de índice.

Para auxiliar nossa compreensão, cada um de nós poderia perguntar a si mesmo por que é tão difícil reconhecer o poderoso princípio da regressão à média que pontua não apenas os retornos dos fundos mútuos, mas quase todo aspecto da vida. Em seu livro de 2013, *Rápido e devagar: Duas formas de pensar*, eis como o Prêmio Nobel de Economia Daniel Kahneman respondeu à pergunta:

> Nossa mente está fortemente inclinada para as explicações causais e não lida bem com "meras estatísticas". Quando nossa atenção volta-se para um evento, a memória associativa buscará sua causa, [...] mas elas [explicações causais] estarão erradas, porque a verdade é que a regressão à média tem uma explicação, mas não tem uma causa.

NÃO ACREDITE APENAS EM MIM

Quando este livro estava prestes a ser impresso, o comentarista **Buttonwood,** da revista *The Economist,* disse quase exatamente o mesmo que este capítulo:

"Suponha que você tivesse escolhido um dos 25% de fundos mútuos de ações americanos com melhor desempenho nos 12 meses até março de 2013. Nos 12 meses subsequentes, até março de 2014, somente 25,6% desses fundos permaneceram no quartil superior. Esse resultado não é melhor do que o acaso. Nos períodos de 12 meses subsequentes, esse grupo de elite é reduzido a 4,1%, 0,5% e 0,3% – cifras piores do que o acaso teria previsto. Resultados semelhantes se aplicam caso você tivesse escolhido um dos 50% dos fundos de melhor desempenho; aqueles na metade superior dos gráficos não conseguiram permanecer ali.

"Suponha que você tivesse escolhido um fundo com um desempenho de quartil superior nos cinco anos até março de 2012. Qual proporção desses fundos estaria no quartil superior nos cinco anos subsequentes (até março de 2017)?

"A resposta é apenas 22,4%: de novo, menos do que o acaso teria indicado. De fato, 27,6% dos fundos mais destacados nos cinco anos até março de 2012 estiveram no quartil de pior desempenho nos cinco anos até março de 2017. Os investidores tinham mais chances de escolher um fracasso do que um sucesso."

A velha máxima de que "o desempenho passado não é um guia para o futuro" não é um exemplo de jargão obrigatório. É matemática.

• • •

Ouça **Nassim Nicholas Taleb**, autor de *Iludidos pelo acaso*: "Lance uma moeda: se der *cara*, o gestor ganhará 10 mil dólares no decorrer do ano; se der *coroa*, ele perderá 10 mil. Nós realizamos [o jogo] para o primeiro ano [para 10 mil gestores].

"Ao fim do ano, esperamos que 5 mil gestores ganhem 10 mil dólares cada e 5 mil percam 10 mil. Agora realizamos o jogo um segundo ano. De novo, podemos esperar que 2.500 gestores cresçam dois anos em seguida; outro ano, 1.250; um quarto ano, 625; um quinto, 313.

"Temos agora, como parte de um jogo simples e limpo, 313 gestores que ganharam dinheiro por cinco anos seguidos. [Em 10 anos, apenas 10 dos 10 mil gestores originais – apenas 0,1% – terão tirado cara em cada ano.] Por pura sorte, [...] uma população composta inteiramente de maus gestores produzirá uma pequena quantidade de ótimos históricos. [...] O número de gestores com ótimos históricos em determinado mercado depende bem mais do número de pessoas que ingressaram no negócio de investimentos (em vez de cursarem a faculdade de odontologia) do que de sua habilidade de produzir lucros."

• • •

Isso pode parecer teórico, de modo que convém apresentar uma perspectiva prática.

Leia a conversa da revista *Money* com **Ted Aronson**, sócio da respeitada empresa de administração de investimentos AJO, da Filadélfia:

P. Você disse que investir em um fundo ativo (em vez de em um fundo de índice de gestão passiva) é um ato de fé. O que isso significa?

R. Sob circunstâncias normais, são necessários de 20 a 800 anos [de monitoramento do desempenho] para provar estatisticamente que um administrador de investimentos é hábil, e não apenas sortudo. Para se ter 95% de certeza de que um gestor não é apenas sortudo, pode demorar quase um milênio – que é bem mais do que a maioria das pessoas tem em mente quando diz "longo prazo". Mesmo para ter apenas 75% de certeza de que ele é hábil, você geralmente precisa acompanhar o desempenho de um gestor entre 16 e 115 anos. [...] Os investidores precisam saber como o negócio de gestão financeira realmente funciona. É um jogo de cartas marcadas. O jogo é desleal.

P. Onde você investe?

R. Nos fundos de índice Vanguard. Tenho o Vanguard Index 500 há 23 anos. Depois que você considera os impostos, eles derrubam o argumento a favor da administração ativa. Pessoalmente, acho que a indexação ganha de goleada. Após os impostos, a administração ativa não consegue vencer.

> Por fim, o colunista e escritor **Jason Zweig,** do *The Wall Street Journal,* sintetiza a busca do desempenho em uma única frase pungente: "Comprar fundos com base apenas em seu desempenho passado é uma das coisas mais estúpidas que um investidor pode fazer."

12

Em busca de conselhos para escolher fundos?

Olhe antes de saltar.

OS INDÍCIOS APRESENTADOS nos Capítulos 10 e 11 ensinam duas lições: (1) selecionar fundos de ações vitoriosos no longo prazo oferece todo o sucesso potencial de encontrar uma agulha em um palheiro; (2) selecionar fundos vitoriosos com base no desempenho em períodos relativamente curtos no passado tende a levar, se não ao desastre, ao menos à decepção.

Então por que não abandonar essas abordagens "faça você mesmo" e procurar conselhos de profissionais? Escolha um consultor financeiro (a designação que costuma ser dada aos corretores de valores e investimentos em todos os lugares) ou um consultor de investimentos registrado, a designação que costuma ser aplicada a não corretores que, com frequência – mas nem sempre – trabalham com base em "apenas uma taxa" em vez de uma comissão, ou mesmo um corretor de seguros oferecendo "produtos" de investimento como rendas vitalícias variáveis (cuidado!).

Consultores de investimentos registrados podem desempenhar um papel vital em fornecer auxílio a investidores.

Neste capítulo, procurarei responder à pergunta sobre o valor dos consultores de investimentos. Você notará que sou cético quanto à capacidade dos consultores em geral de ajudar a escolher fundos de ações capazes de produzir retornos superiores para a sua carteira (alguns conseguem; a maioria, não).

Consultores de investimentos profissionais são melhores em prestar outros serviços valiosos, incluindo orientação na alocação de ativos, informações sobre questões fiscais e conselhos sobre quanto poupar enquanto você trabalha e quanto gastar quando se aposenta. Além disso, a maioria dos consultores está à disposição para aconselhá-lo sobre os mercados financeiros.

Consultores podem encorajá-lo a se preparar para o futuro. Podem ajudá-lo a lidar com muitas decisões fora dos investimentos que têm implicações para os investimentos (por exemplo, quando você quer criar um fundo para a educação superior dos seus filhos ou precisa conseguir dinheiro para comprar uma casa). Consultores experientes podem ajudá-lo a evitar os buracos ao longo da estrada dos investimentos (em termos mais brutos, podem ajudá-lo a evitar erros crassos como buscar o desempenho passado, tentar prever o mercado ou ignorar os custos dos fundos). Na melhor das hipóteses, esses serviços importantes podem melhorar a implementação de seu programa de investimentos e aumentar os retornos.

A grande maioria dos investidores conta com corretores ou consultores para ajudá-los a penetrar no denso nevoeiro de complexidade que, para o bem ou para o mal, permeia o sistema financeiro. Se está correta a estimativa geralmente aceita de que cerca de 70% dos 55 milhões de famílias americanas que investem em fundos mútuos utilizam intermediários, então cerca de 15 milhões de famílias escolhem o caminho do "faça você mesmo". Os 40 milhões de famílias restantes contam com auxiliares profissionais para a tomada de decisões nos investimentos (trata-se essencialmente da estratégia malsucedida descrita na parábola inicial sobre os Auxiliares da família Gotrocks).[1]

Auxiliares: acrescentando ou subtraindo valor?

Jamais saberemos exatamente quanto valor é acrescentado – ou subtraído – por esses Auxiliares na seleção de fundos mútuos para a sua carteira. Mas é difícil, para mim, imaginar que, como um grupo, estejam acima da média (antes que as taxas deles sejam levadas em conta). Ou seja, seus conselhos sobre a seleção de fundos de ações geram retornos aos seus clientes que provavelmente não são visivelmente diferentes daqueles do fundo médio e, portanto, estão vários pontos percentuais por ano abaixo do mercado de ações, como medido pelo S&P 500 (ver Capítulo 4).

No entanto, estou disposto a considerar a possibilidade de que as escolhas de fundos recomendadas por consultores de investimentos (consultores registrados e corretores) podem estar acima da média. Como expliquei no Capítulo 5, se eles selecionarem meramente fundos com os menores custos totais – o que não requer nenhuma ciência avançada –, farão melhor por você. Se forem astutos o suficiente para perceber que os fundos de alta rotatividade são ineficientes em relação aos impostos, farão você poupar ainda mais em custos de

---

[1] Os consultores e analistas de investimentos que trabalham no Brasil também precisam de certificações, consideradas obrigatórias pela Comissão de Valores Mobiliários, que é a entidade pública que regula e fiscaliza o mercado de capitais. Em síntese, precisam tê-las analistas de valores mobiliários, funcionários de bancos que atendam diretamente clientes e agentes autônomos de investimento. *(N. do E.)*

transações e impostos. Se você juntar essas duas políticas e enfatizar os fundos de índice de baixo custo – como fazem muitos consultores –, quem sai ganhando é o cliente.

Se você puder evitar entrar na onda...

E, se os consultores de investimentos profissionais forem suficientemente sábios – ou sortudos – para evitar que seus clientes entrem na última e mais badalada onda (por exemplo, a onda de ações de alta tecnologia do fim da década de 1990, refletida na mania dos investimentos dos fundos por ações da "nova economia"), seus clientes poderão obter retornos que ultrapassem facilmente os retornos decepcionantes obtidos pelos investidores em fundos como um grupo. Você se lembra da defasagem adicional de cerca de um ponto e meio percentual por ano em relação ao fundo de ações médio que estimamos no Capítulo 7? Só para recordar, o retorno nominal médio para o investidor chegou a apenas 6,3% ao ano durante 1991-2016, apesar de um mercado de ações forte em que um simples fundo indexado ao S&P 500 obteve um retorno anual de 9,1%.

Infelizmente (do ponto de vista dos consultores), não existem indícios de que os conselhos na escolha de fundos fornecidos por consultores de investimentos registrados e corretores tenham gerado retornos melhores do que aqueles obtidos em média pelos investidores em fundos. Na verdade, os indícios apontam para o outro lado. Um estudo de uma equipe de pesquisa conduzido por dois professores da Harvard Business School concluiu que, entre 1996 e 2002, "o mau desempenho de fundos de canais de corretores (fundos geridos pelo empregado do vendedor) em relação aos fundos vendidos por canal direto (comprados diretamente pelos investidores) custa aos investidores aproximadamente 9 bilhões de dólares ao ano".

> **Retorno anual médio de fundos recomendados por consultores: 2,9%; retorno de fundos de ações comprados diretamente: 6,6%.**

Especificamente, o estudo descobriu que as alocações de ativos de corretores e consultores não eram melhores, que eles perseguiam as tendências do mercado e que os investidores que eles aconselhavam pagavam maiores taxas iniciais. A conclusão do estudo: *O retorno médio ponderado dos fundos de ações mantidos por investidores que contavam com consultores (excluindo todas as taxas pagas inicialmente ou no momento do resgate) foi em média de apenas 2,9% ao ano, comparado com 6,6% obtidos por investidores que cuidaram dos próprios negócios.*

Esse indício poderoso, porém, não leva os pesquisadores à clara conclusão de que os conselhos em sua totalidade têm valor negativo: "Continuamos", afirma o relatório, "abertos à possibilidade de que existam benefícios intangíveis substanciais e faremos mais pesquisas para identificar esses benefícios intangíveis e explorar o grupo de elite de consultores que melhoram o bem-estar dos lares que confiam neles."

O desastre da Merrill Lynch: um estudo de caso

Existem sinais ainda mais poderosos de que o uso de corretores (em contraposição aos consultores de investimentos registrados) exerce forte impacto negativo sobre os retornos obtidos por investidores em fundos. Num estudo preparado para a Fidelity Investments cobrindo o período de 10 anos de 1994 a 2003 inclusive, os fundos geridos por corretores tiveram as piores avaliações em relação aos seus correlatos de qualquer grupo de fundos (os outros grupos incluíram fundos operados por gestores de capital fechado, gestores de capital aberto, gestores pertencentes a conglomerados financeiros e gestores bancários.)

No estudo da Fidelity, os fundos da Merrill Lynch ficaram 18 pontos percentuais (!) abaixo da média do segmento dos fundos. Os fundos da Goldman Sachs e do Morgan Stanley ficaram 9 pontos percentuais abaixo da média. Tanto os fundos da Wells Fargo quanto os da Smith Barney ficaram 8 pontos percentuais atrás em termos de retornos em 10 anos.

Parte da razão desse fracasso no desempenho pode advir da natureza do serviço. A corretora e seus corretores/consultores financeiros precisam vender algo todo dia. Se não venderem, não sobreviverão. Quando uma corretora lança um fundo novo, os corretores precisam vendê-lo a alguém (imagine um dia em que ninguém vendeu nada e o mercado de ações permaneceu parado, silencioso o dia inteiro.)

Duas ideias terríveis: o fundo Focus Twenty e o Internet Strategies

Este exemplo poderoso ilustra o desastre da Merrill Lynch, um exemplo chocante dos desafios destrutivos que podem ser enfrentados pelos investidores que confiam em corretores de valores. Em março de 2000, quando a bolha criada pela febre das ações da internet atingiu seu pico, a Merrill Lynch, a maior corretora de ações do mundo, entrou na onda com dois fundos novos para vender. Um era o fundo "Focus Twenty" (com base na teoria então popular de que, se as 100 ações favoritas de um administrador fossem boas, com certeza suas 20 favoritas seriam ainda melhores). O outro foi o fundo "Internet Strategies".

A oferta pública dos dois fundos foi um *sucesso* incrível. Os corretores da Merril atraíram 2 bilhões de dólares de seus clientes confiantes (ou que perseguiam o desempenho?): 900 milhões no Focus Twenty e 1,1 bilhão no Internet Strategies.

Um sucesso de marketing para a Merrill Lynch, um fracasso de investimento para seus clientes

Os retornos subsequentes dos fundos, porém, foram um *fracasso* incrível. (Isso não surpreende. O melhor momento de *vender* um fundo novo aos investidores – quando está badalado – muitas vezes é o pior momento para *comprá-lo*.) O Internet Strategies afundou quase imediatamente. O valor de seus ativos caiu 61% durante o restante do ano 2000 e mais 62% até outubro de 2001. O prejuízo total no período foi de incríveis 86%.

A maioria dos investidores do fundo desfez-se de suas ações com prejuízos tremendos. Quando os ativos do fundo, que originalmente somavam 1,1 bilhão de dólares, despencaram para apenas 128 milhões, a Merrill decidiu matar o Internet Strategies e dar-lhe um enterro decente, fundindo-o com outro fundo da Merrill (manter vivo um fundo com aquele desempenho teria sido um constrangimento duradouro para a empresa).

Investimento desastroso: clientes perdem 80% de seus ativos

A quem interessar possa, os prejuízos no Focus Twenty foram menos graves. Seus ativos se desvalorizaram 28% no restante de 2000, mais 70% em 2001 e outros 39% em 2002, antes de enfim apresentarem retornos positivos nos três anos seguintes. No cômputo geral, seu retorno vitalício cumulativo até o fim de 2006 chegou a menos 79%. Os investidores têm regularmente retirado seu capital, e os ativos do fundo, que haviam alcançado quase 1,5 bilhão de dólares em 2000, atualmente se arrastam em 82 milhões, um declínio de 95%. Ao contrário de seu primo Internet Strategies, o Focus Twenty persiste e agora é conhecido como BlackRock Focus Growth.

A lição permanece: o sucesso de marketing de 2 bilhões de dólares dos fundos Internet Strategies e Focus Twenty da Merrill Lynch resultou em investimentos desastrosos para os clientes da Merrill, que perderam cerca de 80% de suas economias adquiridas com muito esforço.

O valor dos consultores financeiros

Apesar dos retornos decepcionantes (em geral) e do exemplo do colossal fracasso da corretora Merrill Lynch, os consultores de investimentos registrados podem agregar valor aos investidores de várias outras formas.

Eu endosso a ideia de que, para muitos investidores – na verdade, para a maioria –, os consultores financeiros podem prestar serviços valiosos, ajudando a lhes dar paz de espírito; ajudando a formar uma carteira sensata que corresponda a seu apetite por recompensa e sua tolerância ao risco; ajudando-os a lidar com as complexidades, nuances e implicações fiscais de investir em fundos mútuos; e ajudando-os a permanecer no rumo em mares turbulentos.

Mas os indícios que apresentei até agora confirmam fortemente minha hipótese original de que, por mais vitais que sejam esses serviços, não se pode esperar plausivelmente que esses consultores como um grupo selecionem fundos que superarão o mercado.

A ascensão do robô consultor

Nos últimos anos, um método novo de oferecer conselhos aos investidores se desenvolveu. Uma série de empresas novas aproveitou a tecnologia de registro de informações e ofereceu uma "consultoria robótica" computadorizada direto para os investidores, muitas vezes com pouca ou nenhuma interação face a face.

Essas empresas defendem a vantagem do *tax-loss harvesting*, a venda de títulos com prejuízo para compensar um imposto sobre ganhos de capital, mas geralmente têm recomendado carteiras do tipo "comprar e manter", com alocação de ativos entre fundos indexados de títulos de dívida e ações. Costumam focar em fundos de índice negociáveis em bolsa, com liquidez imediata e ausência de limites às transações frequentes muitas vezes impostos por administradores de fundos.

A quantidade de robôs consultores aumentou rapidamente. Em 2017, os dois robôs consultores pioneiros registraram cerca de 10 bilhões de dólares em ativos de clientes sob gestão. Mas, até agora, os robôs consultores representam apenas uma fração minúscula dos ativos totais dos investidores atendidos por consultores de investimentos registrados. Com taxas anuais baixíssimas (com frequência em torno de 0,25%), podem perfeitamente se tornar agentes importantes no campo da consultoria daqui em diante.

A simplicidade vence a complexidade.

Apesar de datados ou circunstanciais, os indícios deste capítulo abrem nossos olhos para o desafio enfrentado por estratégias de investimento complexas. No todo, esses indícios sugerem que, outra vez, a simplicidade de um fundo de índice de amplo mercado e baixo custo, comprado e depois mantido para sempre, tende a ser a estratégia ideal para a vasta maioria dos investidores.

Se você está pensando em escolher um consultor de investimentos registrado, um corretor de valores ou um corretor de seguros para oferecer conselhos sobre investimentos, leve em conta essas descobertas. Caso decida ir em frente, certifique-se de estar pagando uma taxa justa, pois taxas pagas a consultores resultam em uma dedução significativa da taxa de retorno porventura obtida pela carteira de seu fundo. Como a maioria das taxas de consultoria de investimentos tende a começar na faixa de 1% ao ano e depois diminuir, não deixe de comparar o valor dos serviços periféricos que os consultores oferecem com a redução nos seus retornos que essas taxas tendem a representar com o tempo. Por fim – e isso dificilmente o surpreenderá –, prefira consultores que recomendam fundos indexados de ações e títulos em seus modelos de carteira.

NÃO ACREDITE APENAS EM MIM

Ouça o amplamente respeitado consultor de investimentos **William Bernstein**, que escreveu estas palavras em seu livro *The Four Pillars of Investment*: "Você vai querer assegurar que seu consultor está escolhendo seus investimentos puramente pelo mérito dos investimentos, e não com base em como os veículos o recompensam.

"Os sinais de advertência aqui são recomendações para fundos com comissão, produtos de seguro, sociedades limitadas ou contas separadas. A melhor e única forma de garantir que você e seu consultor estão na mesma equipe é se assegurar de que ele só recebe a taxa de você, ou seja, não recebe nenhuma remuneração de nenhuma outra fonte além de você. [...]

"Mas receber apenas a taxa de você não deixa de ter suas armadilhas. As taxas de seu consultor devem ser razoáveis. Simplesmente não vale a pena pagar a alguém mais de 1% para gerir seu dinheiro. Acima de 1 milhão de dólares, você não deveria pagar mais de 0,75%, e acima de 5 milhões, não mais de 0,5%. [...]

"Seu consultor deveria usar fundos de ações indexados/passivos sempre que possível. Se ele conta que consegue achar administradores capazes de superar os índices, está enganando você e a si próprio. Refiro-me ao compromisso com a indexação passiva como uma 'religião de classes de ativos'. Não contrate ninguém sem ela."

13

Lucre com a majestade da simplicidade e da parcimônia

Prefira fundos indexados de baixo custo tradicionais que acompanhem o mercado de ações.

QUAIS LIÇÕES APRENDEMOS nos capítulos anteriores?

- Os custos importam (Capítulos 5, 6 e 7).
- Selecionar fundos de ações com base no seu desempenho passado de longo prazo não funciona (Capítulo 10).
- Os retornos dos fundos regridem à média (Capítulo 11).
- Contar mesmo com a mais bem-intencionada consultoria funciona apenas esporadicamente (Capítulo 12).

Se baixos custos são bons (e não acredito que algum analista, acadêmico ou expert do setor discordaria da ideia de que baixos custos são bons), por que não seria lógico concentrar-se nos fundos com os menores custos dentre todos: os fundos de índice tradicionais que têm em suas carteiras o mercado de ações inteiro? Alguns dos maiores fundos indexados têm taxas de despesas anuais de apenas 0,04% e custos de rotatividade próximos a zero. Seus custos totais, então, podem ficar abaixo até do quartil de *menor custo* dos fundos descritos no Capítulo 5.

E a coisa funciona. Observe a superioridade no mundo real do fundo indexado ao S&P 500 comparado com o fundo de ações médio nos últimos 25 anos e na década anterior, como descrito nos capítulos anteriores. O sucesso da indexação no passado é irresistível e irrefutável. E, com a perspectiva de retornos fracos das ações na década à frente, vamos concluir nosso passeio circunstancial pelas regras implacáveis da humilde matemática com um exemplo estatístico final que indica o que o futuro poderá trazer.

A simulação de Monte Carlo

Podemos, de fato, usar a estatística concebida para projetar as chances de um fundo de índice de gestão passiva gerido superar um fundo de ações ativamente gerido em diferentes períodos. O exercício complexo chama-se "simulação de Monte Carlo".* O que ele faz é formular algumas hipóteses simples sobre a volatilidade dos retornos de fundos de ações e o grau em que divergem dos retornos obtidos no mercado de ações, bem como uma hipótese sobre os custos totais do investimento em ações. O exemplo específico apresentado aqui presume que os custos dos fundos de índice ficarão em 0,25% ao ano e que os custos totais dos fundos ativamente geridos ficarão em 2% ao ano. (Os fundos de índice estão disponíveis a custos bem

---

* Uma técnica de simulação de Monte Carlo comum pega todos os retornos mensais obtidos por ações durante um longo período (até um século inteiro), embaralha-os aleatoriamente e depois calcula as taxas de retorno anuais geradas por cada uma dos milhares de carteiras hipotéticas. *(N. do A.)*

menores, e muitos fundos de ações têm custos até maiores. Assim, demos aos fundos ativamente geridos o benefício de uma enorme dúvida.)

Resultado: seria de esperar que, em um ano, cerca de 29% dos administradores ativos, em média, superassem o índice e, em cinco anos, cerca de 15%. Após 50 anos, a expectativa seria de que apenas 2% dos administradores ativos venceriam (Figura 13.1).

A majestade da simplicidade em um império de parcimônia

FIGURA 13.1 Chances de uma carteira ativamente gerida superar o fundo de índice passivo

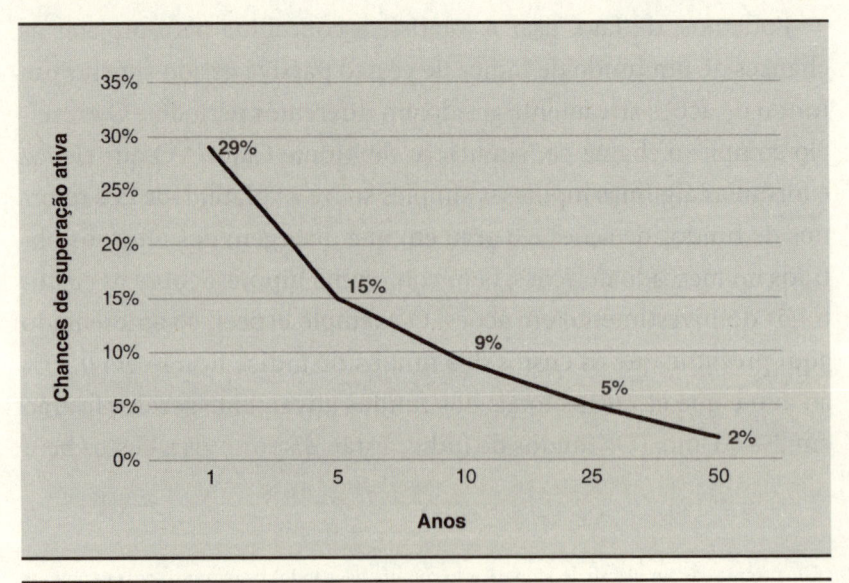

Como o futuro realmente se desenrolará? Claro que não podemos ter certeza. Mas sabemos como foram os últimos 25 anos e vimos no Capítulo 10 que, desde 1970, apenas dois dos 355 fundos em atividade no início superaram o índice do mercado de ações em 2% ou mais ao ano. Além disso, um dos vencedores perdeu sua margem inicial duas décadas atrás. Assim, parece que nossas chances estatísticas estão perto da verdade. Essa matemática sugere – até exige – que os fundos de índice merecem um lugar importante em sua carteira, mesmo constituindo a parte predominante de minha carteira.

Numa era em que a perspectiva provável é de retornos fracos do mercado de ações e títulos, os custos dos fundos vão se tornar mais importantes do que nunca – ainda mais quando sairmos da ilusão de que os fundos mútuos em geral podem capturar os retornos que os mercados financeiros oferecem para a ilusão ainda maior de que a maioria dos investidores em fundos mútuos pode capturar mesmo aqueles retornos reduzidos nas próprias carteiras de fundos. O que o fundo de índice tem de benéfico, como tenho dito com frequência, é "a majestade da simplicidade em um império da parcimônia".

Reiterando: esses custos incômodos – taxas de despesas dos fundos, comissões de vendas, custos de rotatividade, custos dos impostos e o mais sutil de todos os custos, o crescente custo de vida (inflação) – praticamente destruirão o poder aquisitivo real de nossos investimentos ao longo do tempo. Além disso, somente em casos muito raros os investidores em fundos realmente conseguem capturar os retornos que os fundos informam.

Minhas conclusões baseiam-se em fatos matemáticos – as regras implacáveis da humilde matemática.

Minhas conclusões sobre os retornos do mercado que podemos esperar nos próximos anos podem estar erradas – altas demais ou baixas demais. Mas minhas conclusões sobre a parcela desses retornos que os fundos capturarão e a parcela desses retornos de que nós, investidores, realmente desfrutaremos têm um ponto em comum: baseiam-se não na opinião, mas predominantemente em fatos matemáticos – *as regras implacáveis da humilde matemática* que tornam a seleção de fundos vitoriosos semelhante a buscar uma agulha em um palheiro. Se você ignorar essas regras, o risco é todo seu.

Se a estrada para o sucesso nos investimentos é cheia de curvas perigosas e buracos enormes, nunca esqueça que a simples matemática pode lhe permitir atenuar essas curvas e evitar esses buracos. Assim, faça o máximo para diversificar até o enésimo grau, minimize as despesas do seu investimento e concentre suas emoções onde elas não possam causar o tipo de estrago que a maioria dos outros investidores experimenta. Confie no seu bom senso. Enfatize um fundo indexado ao S&P 500 ou um fundo de índice de todo o mercado de ações (eles são mais ou menos iguais). Examine com cuidado sua tolerância ao risco e a parcela de seus investimentos que você aloca às ações. Depois, mantenha o rumo.

Nem todos os fundos de índice são criados iguais. Os custos para os investidores variam muito.

Cabe acrescentar o fato importante de que nem todos os fundos de índice são criados iguais. Embora suas carteiras baseadas em índices sejam substancialmente idênticas, seus custos não são nada idênticos. Alguns têm taxas de despesas minúsculas; outros têm taxas de despesas que ultrapassam os limites da razão. Alguns são fundos sem comissão, mas quase um terço dos fundos americanos, ao que se revela, tem comissões iniciais substanciais, muitas vezes com uma opção de pagar essas comissões por um período de (geralmente) cinco anos. Outros envolvem o pagamento de uma comissão de corretagem padrão.

A diferença entre as taxas de despesas cobradas pelos fundos de baixo e alto custo com base no S&P 500 oferecidos por 10 grandes organizações chega a superar surpreendentes 1,3% dos ativos por ano (Figura 13.2). Ainda pior, os fundos de índice de alto custo também sobrecarregam os investidores com comissões de vendas iniciais.

FIGURA 13.2 Custos de fundos indexados ao S&P 500 selecionados

Cinco fundos de baixo custo	Taxa de despesa anual	Comissão de vendas
Vanguard 500 Index Admiral	0,04%	0,0%
Fidelity 500 Index Premium	0,045%	0,0%
Schwab S&P 500 Index	0,09%	0,0%
Northern Stock Index	0,10%	0,0%
T. Rowe Price Equity Index 500	0,25%	0,0%
Cinco fundos de alto custo		
Invesco S&P 500 Index	0,59%	1,10%
State Farm S&P 500 Index	0,66%	1,00%
Wells Fargo Index	0,45%	1,15%
State Street Equity 500 Index	0,51%	1,05%
JPMorgan Equity Index	0,45%	4,80%

Mesmo entre os fundos indexados ao S&P 500 de baixo custo, vemos uma grande variação das despesas. Enquanto a classe Admiral dos fundos de índice da Vanguard tem uma taxa de despesas minúscula de 0,04%, o fundo T. Rowe Price cobra 0,25%. Embora mais baixa que a dos fundos de índice de alto custo, a taxa desse fundo está longe de ser "baixa". Supondo um retorno anual de 6% capitalizado por 25 anos, um investimento inicial de 10 mil dólares aumentaria para 40.458 no fundo de índice T. Rowe Price. Com um fundo de índice realmente de baixo custo tendo uma taxa de despesas de 0,04%, o investimento de 10 mil cresceria para 42.516, um aumento de 2.058 dólares em relação ao fundo de índice de custo maior. Sim, mesmo diferenças de custos aparentemente pequenas importam.

Atualmente, existem cerca de 40 fundos mútuos de índice tradicionais projetados para acompanhar o S&P 500, 14 dos quais têm comissões iniciais variando de 1,5% a 5,75%. O investidor inteligente selecionará apenas os fundos indexados disponíveis sem comissões de vendas e os que operam com os menores custos. Esses custos – nenhuma surpresa aqui! – estão diretamente relacionados aos retornos líquidos oferecidos aos acionistas desses fundos.

Dois fundos, um índice, diferentes custos

O primeiro fundo de índice foi criado pela Vanguard em 1975. Transcorreram nove anos até que o segundo fundo de índice aparecesse: Wells Fargo Equity Index Fund, formado em janeiro de 1984. Seu retorno subsequente pode ser comparado ao do Fundo de Índice Vanguard 500 desde então.

Ambos os fundos selecionaram o S&P 500 como benchmark. As comissões de vendas do Fundo Indexado Vanguard 500 foram eliminadas meses após seu lançamento, e ele agora opera com uma taxa de despesas de 0,04% (4 pontos básicos) para investidores com 10 mil dólares ou mais investidos no fundo.

Em contraste, o fundo Wells Fargo tinha uma comissão de venda de 5,5%, e sua taxa de despesas era em média de 0,80% ao ano (a taxa de despesas atual é de 0,45%). Em desvantagem no princípio, o fundo fica ainda mais para trás a cada ano que passa.

**Seu fundo de índice não deveria ser a fonte
de dinheiro do seu administrador.
Deveria ser *sua* fonte de dinheiro.**

Durante os 33 anos desde 1984, essas diferenças aparentemente pequenas resultaram em um aumento de 27% do valor do fundo Vanguard. Um investimento original de 10 mil dólares havia aumentado para 294.900 no Fundo de Índice Vanguard 500 no início de 2017, em comparação com 232.100 no Fundo de Índice de Ações Wells Fargo. *Nem todos os fundos indexados são criados iguais.* Investidores inteligentes escolherão os fundos indexados de menores custos disponíveis oferecidos por gestoras de fundos com boa reputação.

Alguns anos atrás, perguntaram a um representante da Wells Fargo como a empresa conseguia justificar aquelas altas taxas. A resposta: "Você não entende. É nossa fonte de dinheiro" (ou seja, regularmente gera montes de lucros para o administrador). Ao escolher com cuidado os fundos indexados de menor custo para sua carteira, você pode ter certeza de que o fundo não é a fonte de dinheiro do administrador, mas a *sua*.

Quer os mercados sejam eficientes ou não, a indexação funciona.

O pensamento convencional sustenta que a indexação pode fazer sentido em setores altamente eficientes do mercado, como o S&P 500 para ações americanas de grande capitalização, mas que a gestão ativa pode ter uma vantagem em outros setores do mercado, como ações de baixa capitalização ou mercados fora dos Estados Unidos. Essa alegação se revela falsa.

Como mostra a Figura 3.3 do Capítulo 3, a indexação funciona perfeitamente bem onde quer que tenha sido implementada. *E precisa funcionar.* Pois, quer os mercados sejam eficientes ou ineficientes, todos os investidores como um grupo nesse segmento obtêm o retorno desse segmento. Em mercados ineficientes, os administradores mais bem-sucedidos podem obter retornos incomumente altos – mas isso significa que algum outro administrador sofreu prejuízos incomumente grandes. Nunca se esqueça de que, como um grupo, todos os investidores em qualquer segmento delimitado do mercado de ações precisam ser, e são, medianos.

Fundos internacionais também ficam atrás de seus índices de benchmark.

Os fundos internacionais também estão sujeitos à mesma alegação de que é mais fácil os administradores vencerem em mercados (supostamente) menos eficientes. Mas em vão. O índice internacional S&P (mercados mundiais menos ações americanas) superou 89% dos fundos de ações internacionais ativamente geridos nos últimos 15 anos.

De forma semelhante, o S&P de mercados emergentes superou 90% dos fundos de mercados emergentes. Com a indexação tão bem-sucedida tanto nos mercados mais eficientes quanto nos menos eficientes e nos mercados americano e global, não sei ao certo quais dados adicionais seriam necessários para encerrar o debate a favor dos fundos indexados de todos os tipos.

Cuidado com apostas.

Cuidado: embora investir em setores do mercado específicos seja mais eficiente via fundos indexados, apostar em um setor vitorioso e depois em outro é exatamente isto: aposta. *E a aposta é um jogo de perdedor.*

Por quê? Em grande parte porque as emoções quase certamente exercerão um poderoso impacto negativo nos retornos obtidos pelos investidores. Quaisquer que sejam os retornos obtidos por cada setor, os retornos dos investidores em qualquer setor provavelmente, se não certamente, ficarão aquém. Existem indícios abundantes de que os fundos setoriais mais populares do momento são aqueles que recentemente tiveram o desempenho mais espetacular. Como resultado, uma estratégia de transação com base na popularidade *a posteriori* é receita para um investimento fracassado.

Ao tentar escolher em qual setor do mercado apostar, olhe antes de saltar. Pode não ser tão emocionante quanto apostar, mas possuir o tradicional fundo de índice indexado ao mercado de ações a um custo mínimo é a estratégia suprema. Ele contém a certeza matemática que o marca como o padrão-ouro dos investimentos. Por mais que tentem, os alquimistas da gestão ativa americana não conseguem transformar seu chumbo, cobre ou ferro em ouro. Evite a complexidade, confie na simplicidade e na parcimônia, e seus investimentos deverão florescer.

NÃO ACREDITE APENAS EM MIM

Você deve achar que sou pessimista demais ao prever que somente 2% de todas as carteiras de fundos mútuos de ações superarão o mercado de ações em 50 anos. Caso ache, considere as chances calculadas por **Michael J. Mauboussin**, principal estrategista de mercado do Credit Suisse, professor adjunto da Columbia Business School e autor do best-seller *More Than You Know* (Mais do que você sabe). Enquanto minha estimativa de 2% significa que uma carteira dentre 50 superaria o mercado de ações em 50 anos, Mauboussin calcula que a chance de um fundo superá-lo por 15 anos consecutivos é de 1 em 223 mil, e de 1 em 31 milhões em 21 anos. De qualquer maneira, a chance de superar um fundo de índice de todo o mercado é, bem, terrível.

• • •

Agora ouça **Charlie Munger**, o estimado sócio de Warren Buffett, que defende eloquentemente evitar a complexidade insensata ao investir e, em vez disso, optar pela simplicidade:

> Nas grandes instituições de caridade, nos últimos anos tem havido uma tendência a mais complexidade. Em alguns fundos de doações existem muitos conselheiros de investimentos, eleitos por outros consultores, contratados também para ajudar na alocação dos fundos às diferentes categorias, assegurar que os estilos de investimentos escolhidos sejam rigorosamente seguidos [...] [e mais] um terceiro nível de analistas de valores mobiliários empregados pelos bancos de investimento.
>
> Existe uma certeza sobre toda essa complexidade: o custo total da gestão dos investimentos, mais os custos de entrar e sair com frequência em muitas grandes posições de investimento, pode facilmente atingir 3% do valor líquido da fundação por ano. Todos os investidores em ações terão uma desvantagem de desempenho por ano equivalente aos custos totais dos crupiês que eles conjuntamente optaram por sustentar. [...]
>
> É inevitável que exatamente metade dos investidores obterá um valor abaixo do resultado médio após o crupiê pegar a sua parte, um resultado mediano que pode estar entre o não empolgante e o péssimo. A escolha mais sensata é dispensar os consultores e reduzir a rotatividade dos investimentos, mudando para um investimento indexado a ações.

(De novo, vestígios da família Gotrocks.)

14

Fundos de títulos de dívida

Onde as regras implacáveis da humilde matemática também prevalecem.

ATÉ AGORA, minha aplicação do bom senso voltou-se em grande parte ao mercado de ações, aos fundos mútuos de ações e aos fundos de ações indexados. Mas as regras implacáveis da humilde matemática que apresentei também se aplicam – talvez com ainda mais força – aos fundos de títulos de dívida.

Talvez a razão seja óbvia. Enquanto um número de fatores aparentemente infinito influencia o mercado de ações e cada ação individual ali negociada, apenas um fator domina os retornos obtidos por investidores no mercado de títulos de dívida: o nível predominante das taxas de juros.

Gestores de fundos de renda fixa não podem fazer muito, se é que podem fazer alguma coisa, para influenciar as taxas. Se não gostam das taxas estabelecidas no mercado, de nada adiantará ligar para o Departamento do Tesouro ou para o Federal Reserve (banco central americano) nem tentar mudar a equação da oferta e procura.

Por que um investidor inteligente possuiria títulos de dívida?

A história informa que, no longo prazo, as ações geralmente têm oferecido retornos maiores do que os títulos de dívida. Espera-se que essa relação continue durante a próxima década, embora as expectativas racionais indiquem que os retornos futuros tanto em ações quanto em títulos de dívida quase certamente ficarão bem abaixo dos padrões históricos.

Como observado no Capítulo 9, estimo que os retornos anuais dos títulos de dívida na próxima década serão em média de 3,1%. Em suma, desde 1900, os retornos anuais dos títulos de dívida têm sido em média de 5,3%; desde 1974, de 8,0%; na próxima década, provavelmente serão de 3,1%, mais ou menos.

Então, atualmente, por que um investidor inteligente chegaria a possuir títulos de dívida? Primeiro, porque o longo prazo é uma série de curtos prazos e, durante muitos períodos curtos, os títulos de dívida têm oferecido retornos maiores do que as ações. Nos 117 anos desde 1900, os títulos de dívida superaram as ações em 42 anos. Nos 112 períodos de cinco anos, os títulos de dívida superaram as ações 29 vezes. E mesmo nos 103 períodos de 15 anos, os títulos de dívida superaram as ações 13 vezes.

Segundo, e talvez mais importante, reduzir a volatilidade de sua carteira pode oferecer proteção contra perdas financeiras durante grandes quedas do mercado, uma âncora a barlavento, por assim dizer. A natureza conservadora de uma carteira balanceada de ações/títulos pode reduzir a possibilidade de comportamento contraproducente do investidor (a saber, assustar-se quando o mercado de ações desaba e liquidar sua posição em ações).

Terceiro, embora os retornos dos títulos de dívida estejam perto dos níveis mínimos desde o início da década de 1960, o rendimento atual dos títulos de dívida (3,1%) ainda ultrapassa o rendimento dos dividendos das ações (2%).

Uma diferença semelhante entre os rendimentos dos títulos de dívida e das ações

De fato, essa diferença positiva de 1,1 ponto percentual dos rendimentos dos títulos de dívida em relação aos das ações está bem próxima da vantagem de 1,4 ponto percentual do rendimento dos títulos de dívida durante a época recente (desde 1974, rendimento médio de 6,9% nos títulos de dívida e de 5,5% nas ações). Assim, mesmo nesta era de taxas de juros baixas (e rendimentos dos dividendos baixos), os títulos de dívida permanecem relativamente competitivos.

Diante dessas considerações, a pergunta então não é mais "Por que devo possuir títulos de dívida?", e sim "Qual parcela de minha carteira deve ser alocada aos títulos de dívida?". Vamos abordar essa pergunta no Capítulo 18.

Administradores de fundos de títulos de dívida acompanham o mercado de títulos de dívida.

Como um grupo, os administradores de fundos de títulos de dívida quase inevitavelmente oferecerão um retorno bruto que corresponde à base constituída pelo ambiente de taxas de juros atual. Sim, alguns poucos gestores poderiam sair-se melhor – até sair-se melhor por um longo período – sendo superinteligentes, supersortudos ou correndo um risco extra.

Infelizmente, más decisões com frequência voltam-se contra o feiticeiro e podem prejudicar os retornos em prazos maiores. A regressão à média muitas vezes ataca. Além disso, ainda que os administradores de fundos de títulos de dívida acrescentem umas poucas frações de 1% aos retornos brutos do fundo, raramente superam as despesas, taxas e comissões de vendas envolvidas na contratação dos serviços.

Os títulos de dívida variam em termos de risco.

Embora esses custos dificultem muito a tarefa de melhorar os retornos, administradores de fundos de títulos de dívida confiantes demais podem ser tentados a correr um pequeno risco extra, estendendo os vencimentos dos títulos na carteira. Títulos de longo prazo – com vencimentos, digamos, em 30 anos – são bem mais voláteis do que títulos de curto prazo – digamos, em dois anos –, mas costumam oferecer rendimentos maiores.

Os administradores também podem ser tentados a aumentar os retornos reduzindo a qualidade dos investimentos das carteiras, com menos títulos do Tesouro americano (classificados como AA+) ou debêntures com grau de investimento (classificados como BBB ou melhor) e com mais títulos de dívida abaixo do grau de investimento (BB ou menos) ou mesmo alguns dos chamados *junk bonds* (títulos que oferecem altos rendimentos, mas com baixa segurança), classificados abaixo de CC ou até mesmo sem classificação. A forte dependência de *junk bonds* para aumentar a renda gerada por sua carteira sujeita seu investimento em títulos a altos riscos *(é claro!)*. Investidores que buscam aumentar o rendimento de suas carteiras de títulos investindo em fundos de *junk bonds* deveriam se limitar a alocações pequenas. Recomenda-se cautela![1]

---

[1] Agências de classificação de risco de crédito fornecem essas notas para títulos da dívida de governos e empresas de todo o mundo. *(N. do E.)*

Três tipos básicos de fundos de títulos de dívida

Uma característica benéfica dos fundos mútuos de títulos de dívida é que com frequência oferecem aos investidores três (ou mais) opções que lidam com o conflito entre retorno e risco. Carteiras de curto prazo visam investidores dispostos a sacrificar o rendimento para reduzir o risco da volatilidade. Carteiras de longo prazo servem aos investidores que querem maximizar o rendimento e estão preparados para lidar com uma volatilidade maior. E carteiras de prazos intermediários buscam um equilíbrio entre a oportunidade de renda e a volatilidade do mercado. Essas opções ajudam a tornar os fundos de títulos de dívida atraentes a investidores com uma variedade de estratégias.

Como os fundos de ações, os fundos de títulos de dívida ativamente geridos ficam atrás de seus benchmarks. Por quê? A matemática dos custos.

No fim das contas, fundos de títulos de dívida com vencimentos e qualidades de crédito semelhantes tendem a capturar os retornos brutos dos segmentos do mercado determinados por suas políticas. E, após a dedução de taxas de despesas, custos operacionais e comissões de vendas (caso existam), seus retornos líquidos deixarão a desejar. No tocante aos títulos de dívida, a advertência de Brandeis torna-se particularmente significativa: "*Lembre-se, ó estrangeiro, que a matemática é a primeira das ciências e a mãe da segurança.*"

São tantos os tipos de fundo de títulos de dívida que examinar o desempenho de todos poria em teste a sua paciência. Assim, vou me concentrar agora nos três grandes segmentos de vencimento (títulos de prazo curto, intermediário e longo) e nos dois grandes segmentos de qualidade (governo americano e debêntures de grau de investimento) dos fundos.

No Capítulo 3, observei que os retornos de 90% dos fundos mútuos de ações ativamente geridos ficavam atrás de seus índices de benchmark, como informado pela S&P em seu relatório SPIVA (Standard and Poor's Indices vs. Active).

O relatório SPIVA também compara os retornos de fundos mútuos de títulos de dívida em diferentes categorias com seus índices de benchmark apropriados. Durante o período de 15 anos de 2001 a 2016, o desempenho dos índices de títulos de dívida também é impressionante, superando uma média de 85% de todos os fundos de títulos de dívida ativamente geridos nas seis categorias: curto prazo, prazo intermediário e longo prazo agrupados pelo governo americano e por setores corporativos com grau de investimento (Figura 14.1). Os índices apropriados também superaram os das administradoras de fundos de títulos de dívida municipais (84%) e fundos de títulos de dívida de alto rendimento (96%).

O papel importante dos custos em moldar os retornos dos fundos de títulos de dívida

FIGURA 14.1 Custos de fundos indexados ao S&P 500 selecionados

Categoria do fundo	Governo americano	Grau de investimento
Títulos de curto prazo	86%	73%
Títulos de prazo intermediário	82%	73%
Títulos de longo prazo	97%	97%
Média	88%	81%

A defasagem média nos retornos de fundos de obrigações do Tesouro e debêntures de prazos intermediário e curto em relação aos fundos indexados durante os últimos 15 anos é estimada pelo SPIVA como sendo de cerca de 0,55% ao ano. O fundo de índice de títulos de dívida médio teve custos anuais de cerca de 0,10%, enquanto a taxa de despesas de fundos de títulos de dívida ativamente geridos foi em média de 0,75%. A diferença média entre as taxas de despesas chegou a cerca de 0,65%, ligeiramente maior do que a defasagem do desempenho. De novo, fica claro que custos baixos representam uma parte dominante da vantagem da indexação.

O fundo indexado ao mercado de títulos de dívida total

O primeiro fundo indexado ao mercado de títulos de dívida total – formado em 1986 e até hoje o maior – acompanha o Índice Agregado de Títulos de Dívida Americano Bloomberg Barclays. Quase todos os grandes fundos indexados ao mercado de títulos total seguiram o líder. Esses fundos indexados têm uma qualidade extremamente alta (63% de títulos respaldados pelo governo americano, outros 5% em empresas classificadas como AAA, 32% em empresas entre AA e BAA, e nenhum título abaixo do grau de investimento). Durante os últimos 10 anos, esse fundo indexado ao mercado de títulos total obteve um retorno anual de 4,41%, apenas 0,05 ponto percentual atrás do retorno anual de 4,46% de seu índice-alvo, uma semelhança notável.

Como carteiras de alta qualidade quase sempre produzem menos rendimentos do que carteiras de qualidade menor, o rendimento de 2,5% do fundo indexado ao mercado de títulos de dívida total em meados de 2017 é relativamente baixo se comparado com o rendimento de 3,1% do representante do mercado de títulos de dívida que usamos no início deste capítulo. A diferença: a carteira de títulos de dívida que desenvolvemos para essa análise reduz os títulos do governo americano (50%) e aumenta as debêntures com grau de investimento (50%) em relação ao índice, produzindo, assim, um rendimento maior.

A fim de obter uma tal carteira de títulos de dívida governamentais/corporativos de 50/50, os investidores que precisam de um rendimento maior do que o do fundo indexado ao mercado de títulos de dívida total (mas ainda assim buscam uma carteira de alta qualidade) poderiam cogitar uma carteira com 75% investidos no fundo indexado ao mercado de títulos de dívida total e 25% em um fundo indexado de debêntures com grau de investimento.

O valor dos fundos indexados de títulos de dívida é criado pelas mesmas forças que geram valor para os fundos indexados de ações.

A realidade é que o valor dos fundos indexados de títulos de dívida deriva das mesmas forças que geram valor nos fundos indexados de ações: ampla diversificação, custos reduzidíssimos, atividade de carteira disciplinada, eficiência fiscal e foco nos acionistas que confiam nas estratégias de longo prazo. Essas características de bom senso permitem que os fundos indexados garantam que você obterá sua parcela justa dos retornos nos mercados de ações e títulos de dívida, como fazem em todos os mercados financeiros.

De fato, muitos dos títulos dos capítulos anteriores deste livro que enfocaram os fundos de ações poderiam facilmente ser os títulos de uma série de capítulos sobre fundos de títulos de dívida – especialmente "Concentre-se nos fundos de custo menor", "Como selecionar vencedores de longo prazo" e "Lucre com a majestade da simplicidade e da parcimônia". Essas regras são universais.

NÃO ACREDITE APENAS EM MIM

O poder da indexação de títulos de dívida está crescendo. **Peter Fisher**, ex-presidente do grupo de renda fixa da gigantesca administradora de investimentos global BlackRock, observou: "Estamos passando para a segunda fase da revolução da indexação. O mundo é um lugar assustador e incerto, e os investidores querem tornar suas carteiras [de títulos de dívida] bem mais simples para poderem dormir à noite."

• • •

Embora pouco tenha sido escrito sobre o valor notável (e notadamente óbvio) dos fundos indexados que investem em títulos de dívida, as convicções expressas neste capítulo foram fortemente reforçadas pelos analistas financeiros certificados **Walter R. Good** e **Roy W. Hermansen** em *Index Your Way to Investment Success* (Os índices como caminho para o sucesso nos investimentos): "A comparação de despesas, custos de transações e, onde aplicável, comissões de vendas identifica a vantagem dos custos dos fundos indexados de títulos de dívida. [...] Para os fundos com comissão ativamente geridos, a vantagem do fundo de índice representa 1,2 ponto percentual por ano.

"Os dados fornecem um vislumbre preocupante do desafio com que se defronta o administrador do fundo de títulos de dívida ativo [...] e indicam quanto retorno adicional a administração ativa precisa acrescentar – em média, por um longo período – só para equilibrar as finanças!"

• • •

Outra confirmação vem do outro lado do Atlântico. O inglês **Tim Hale**, autor de *Smarter Investing: Simpler Decisions for*

Better Results (Investimentos mais inteligentes: Decisões mais simples para resultados melhores), escreve: "Não negligencie a eficácia do investimento indexado a títulos de dívida, que até agora tem sido sussurrada, e não alardeada do alto dos prédios. Os indícios são inegáveis e favorecem firmemente o investimento em fundos indexados. [...] No período de 10 anos de 1988-1998, os fundos indexados de títulos de dívida americanos deram um retorno de 8,9% ao ano, contra 8,2% dos fundos de títulos de dívida ativamente geridos [...] [com] os fundos indexados superando 85% de todos os fundos ativos. Esse diferencial deve-se em grande parte às taxas."

15

O fundo negociado em bolsa (ETF)

Um negociador para a causa?

DURANTE A ÚLTIMA DÉCADA, os princípios do fundo de índice tradicional (TIF – *traditional index fund*) foram desafiados por uma espécie de lobo em pele de cordeiro, o fundo negociado em bolsa (ETF – *exchange-traded fund*). Em termos simples, o ETF é um fundo de índice projetado para facilitar a negociação de suas ações sob o disfarce de fundo de índice tradicional.

Se o investimento de longo prazo foi o paradigma para o TIF original concebido em 1975, com certeza usar fundos indexados como veículos de transações só pode ser descrito como especulação de curto prazo. Se a maior diversificação possível foi o paradigma original, com certeza conservar setores do mercado separados – até amplamente diversificados – oferece bem menos diversificação e um risco proporcionalmente maior. Se o paradigma original era o custo mínimo, isso é impedido quando se mantêm fundos indexados a setores do mercado com custos mais altos, que implicam comissões de corretagem quando negociados e incorrem em ônus fiscais se você tiver a sorte de negociar com sucesso.

Mas deixe-me ser claro. Não há nada de errado em investir nos ETFs indexados que acompanham o mercado de ações amplo, *contanto que você não os negocie*. Embora a especulação seja um jogo de perdedor, o investimento de longo prazo é uma estratégia comprovada, que os fundos indexados de amplo mercado estão bem posicionados para implementar.

> **Os operadores de ETFs não têm absolutamente nenhuma ideia de como os retornos do seu investimento se relacionarão com aqueles obtidos no mercado de ações.**

O aspecto quintessencial do paradigma original do TIF é prometer – na verdade, praticamente garantir – que os investidores obterão sua parcela justa do retorno do mercado de ações. Os operadores de ETFs, porém, não têm nada que se assemelhe remotamente a esse tipo de garantia. Na verdade, após todos os desafios da seleção, riscos de timing, custos extras e impostos adicionados,[1] os operadores de ETFs não têm a mínima ideia de como os retornos de seus investimentos se relacionarão com aqueles obtidos no mercado de ações.

As diferenças entre o fundo de índice *tradicional* – o TIF – e o fundo de índice *novo* representado pelo ETF são nítidas (Figura 15.1). Os fundos negociados em bolsa marcham ao som de um tambor diferente daquele do fundo de índice original.

---

[1] Como dito anteriormente neste livro, a alíquota de imposto de renda sobre investimentos no Brasil é similar para qualquer tipo de fundo e escalonada de acordo com a duração dos investimentos. Vale lembrar que fundos que fazem uma gestão ativa de sua carteira acabam pagando uma alíquota maior quando se desfazem de um ativo no curto prazo, o que é a base de sua estratégia, e isso reduz a rentabilidade do investimento. *(N. do E.)*

FIGURA 15.1 Fundos indexados tradicionais (TIFs) vs. fundos indexados negociados em bolsa (ETFs)

		ETFs		
		Fundos indexados amplos		Fundos indexados especializados
	TIFs	Investimento	Negociação	
Maior diversificação possível	Sim	Sim	Sim	Não
Maior horizonte de tempo	Sim	Sim	Não	Raramente
Menor custo possível	Sim	Sim	Sim*	Sim*
Maior eficiência fiscal possível	Sim	Sim	Não	Não
Maior parcela possível de retorno do mercado	Sim	Sim	Desconhecido	Desconhecido

* Mas apenas se os custos de negociação forem ignorados.

A criação do "Spider"

O primeiro fundo americano negociado em bolsa, criado em 1993 por Nathan Most, foi chamado de "Standard & Poor's Depositary Receipts" (SPDRs – Certificados de Depósito da Standard & Poor's) e logo apelidado de "Spider" ("Aranha"). Foi uma ideia brilhante. Investindo no S&P 500, operado com baixo custo e alta eficiência fiscal, precificado em tempo real mas mantido no longo prazo, ele apresentava a perspectiva de competir ferozmente com o tradicional fundo indexado ao S&P 500* (as comissões de

---

* O falecido Sr. Most, um homem fino, inicialmente ofereceu uma sociedade à Vanguard, usando nosso fundo indexado ao S&P 500 como veículo de transações. Como vejo as transações como um jogo de perdedor para os investidores e um jogo de vencedor para os corretores, recusei sua oferta. Mas nos separamos como amigos. *(N. do A.)*

corretagem, porém, tornaram-no menos adequado a investidores com investimentos pequenos regulares).

O Spider 500 permanece o maior ETF, com ativos que somavam mais de 240 bilhões de dólares no início de 2017. Durante 2016, cerca de 26 bilhões de ações do Spider S&P 500 foram negociadas, um volume total de incríveis 5,5 trilhões de dólares, com uma taxa de rotatividade anual de 2.900%. Em termos de volume em dólares, o Spider foi a ação mais negociada no mundo diariamente.

O Spider e outros ETFs similares são basicamente usados por investidores de curto prazo. Os maiores usuários, com cerca de metade de todos os ativos dos ETFs, são bancos, administradores de investimentos ativos, *hedgers* (gestores que buscam instrumentos de proteção contra flutuações de seus investimentos) e operadores profissionais, que negociam suas ações de ETFs com frenesi. Esses grandes operadores negociaram seus investimentos a uma taxa média de quase 1.000% (!) em 2016.

O crescimento dos ETFs explode.

A partir daquele primeiro fundo de índice S&P 500 negociado em bolsa, os ETFs cresceram até representarem metade da base de ativos de todos os fundos de índice – no início de 2017, 2,5 trilhões do total de 5 trilhões de dólares. Essa participação de 50% subiu em relação aos 41% em 2007 e aos apenas 9% em 1997.

Os ETFs se tornaram uma força a ser levada em conta nos mercados financeiros. O volume em dólares de sua negociação às vezes constitui até 40% ou mais do volume de negociação diária total em todo o mercado de ações americano. Os ETFs mostraram-se capazes de satisfazer as necessidades de investidores e especuladores, mas também se mostraram um maná caído do céu para os corretores de valores.

O crescimento incrível dos ETFs com certeza diz algo sobre a energia dos empreendedores financeiros de Wall Street, sobre o foco dos administradores de investimentos em reunir ativos, sobre o poder de marketing das corretoras e sobre a disposição – ou melhor, avidez – dos investidores de favorecer estratégias complexas e transações agressivas, continuando a acreditar, contra todas as chances, que conseguem superar o mercado. Veremos.

O tumulto dos ETFs

O crescimento dos ETFs aproximou-se de um tumulto, não apenas em número, mas também em diversidade. Existem disponíveis, agora, mais de dois mil desses fundos (bem mais do que os 340 de uma década atrás) e a variedade de opções de investimento disponíveis é notável.*

O perfil das ofertas de ETFs difere radicalmente daquele das ofertas dos TIFs (Figura 15.2). Por exemplo, apenas 32% dos ativos dos ETFs são investidos em fundos indexados ao mercado de ações amplamente diversificados (americanos e internacionais) como o Spider, em comparação com 62% dos ativos dos TIFs. Em 2017, existiam 950 ETFs oferecendo estratégias concentradas, especulativas, inversas e alavancadas contendo 23% dos ativos totais. Mas havia apenas 137 TIFs desse tipo (representando 5% dos ativos totais).

Existiam também 669 ETFs concentrados em estratégias beta inteligentes e fatoriais (uma estratégia de investimento que usa regras alternativas de construção de índices levando em conta fatores ou

---

* Enquanto escrevo isto, em 2017, cerca de 250 ETFs novos foram lançados nos últimos 12 meses, e cerca de 200 encerraram as atividades. A alta taxa de lançamentos e fechamentos desses fundos aponta para uma nova moda nos investimentos. Tais modas raramente melhoraram o bem-estar dos investidores. *(N. do A.)*

ineficiências de mercado), 244 com base em setores do mercado de ações e 156 concentrando seus ativos em países estrangeiros específicos. Existiam também 196 ETFs de títulos de dívida de base ampla e 422 utilizando alta alavancagem (permitindo aos espetaculares apostarem na direção do mercado de ações e depois dobrarem, triplicarem ou mesmo quadruplicarem oscilações diárias nesse mercado), acompanhando preços de commodities e moedas e usando outras estratégias de alto risco.

Além disso, os fluxos de caixa dos investidores em ETFs são excepcionalmente voláteis, ainda mais quando comparados com os fluxos de caixa relativamente estáveis dos TIFs. Durante os 24 meses da alta do mercado de ações, de abril de 2007 até abril de 2009 (pouco depois da queda de 50% do mercado), os TIFs não experimentaram *nenhum mês* de fluxos negativos. Os fluxos nos ETFs, porém, foram negativos em 10

FIGURA 15.2 Composição dos ativos de TIFs e ETFs, dezembro de 2016

	Fundos de índice tradicionais (TIFs)			
	Ativos (bilhões de dólares)		Número de fundos	
Ações americanas diversificadas	1.295	47%	67	16%
Ações diversificadas de outros países	421	15%	43	10%
Títulos de dívida diversificados	489	18%	50	12%
Fatoriais/beta inteligentes	423	15%	129	30%
Concentrados/especulativos	132	5%	137	32%
Total	2.760	100%	426	100%
	Fundos negociados em bolsa (ETFs)			
	Ativos (bilhões de dólares)		Número de fundos	
Ações americanas diversificadas	477	20%	40	2%
Ações diversificadas de outros países	287	12%	94	5%
Títulos de dívida diversificados	355	15%	196	10%
Fatoriais/beta inteligentes	756	31%	669	34%
Concentrados/especulativos	562	23%	950	49%
Total	2.438	100%	1.949	100%

dos 24 meses, oscilando de entradas de 31 bilhões de dólares em dezembro de 2007 (perto do pico do mercado) a saídas de 18 bilhões em fevereiro de 2009, quando os preços das ações atingiram o nível mais baixo. Os comportamentos contraproducentes dos investidores foram ampliados.

Sim, em quase todos os aspectos, a maioria dos ETFs se afastou dos conceitos de comprar e manter, de diversificação e de baixíssimo custo exemplificados pelo fundo de índice tradicional.

Os ETFs de amplo mercado constituem o único caso em que esses fundos conseguem replicar e, possivelmente, até melhorar os cinco paradigmas listados antes para o fundo de índice original – *mas somente quando comprados e mantidos a longo prazo*. As taxas de despesas anuais tendem a ser semelhantes às dos TIFs, embora suas comissões de transação reduzam os retornos obtidos pelos investidores.

Os primeiros anúncios do Spider afirmavam: *"Agora você pode negociar o S&P 500 o dia inteiro, em tempo real."* E pode mesmo. Mas para quê? Não consigo deixar de comparar o ETF – um instrumento financeiro espertamente projetado – a uma arma de fogo.

Uma arma pode servir para legítima defesa, proteção pessoal, mas, se não for bem manuseada, pode ferir o próprio atirador por acidente. Suspeito que muitos ETFs sejam prejudiciais da mesma forma.

A tentação de perseguir retornos passados

Mas, sejam quais forem os retornos que cada ETF setorial pode obter, os investidores nesses ETFs limitados provavelmente, se não certamente, obterão retornos menores. Existem indícios abundantes de que os fundos setoriais mais populares do momento são aqueles que tiveram o desempenho recente mais espetacular. Mas tal sucesso não perdura. (De novo, lembre-se da regressão à média.)

Realmente, essa popularidade depois do fato é uma receita para o investimento malsucedido. Foi a lição do Capítulo 7 – de que os investidores em fundos mútuos quase sempre se saem bem pior do que os fundos que possuem, e se saem ainda pior quando escolhem fundos menos diversificados e mais voláteis. Esse padrão tende a se repetir, até mesmo se ampliar, nos ETFs.

Em 19 dos 20 ETFs com melhor desempenho, os retornos do investidor ficaram aquém dos retornos do fundo.

Para ilustrar esse fato, vejamos os históricos dos 20 ETFs de melhor desempenho no período 2003-2006. Somente um ETF obteve um retorno melhor para seus acionistas do que aquele registrado pelo próprio ETF. A defasagem média dos retornos dos acionistas foi igual a 5 pontos percentuais por ano, sendo a maior diferença de 14 pontos percentuais (o iShares Austria registrou um retorno de 42%, mas seus investidores obtiveram apenas 28%).

"MANUSEIE COM CUIDADO" deveria ser o primeiro aviso no rótulo do fundo negociado em bolsa, embora eu nunca o tenha visto sendo usado. Ou talvez: "CUIDADO: Caça ao Desempenho em Ação".

Uma "dupla maldição": apostar em setores populares do mercado (emoções) e pagar altos custos (despesas) certamente prejudicam sua saúde.

Eis que temos uma "dupla maldição". Investidores que optam por negociar ativamente os ETFs, ou são persuadidos por seus corretores, enfrentam a quase inevitabilidade do timing de mercado contraproducente, visto que apostam em setores quando se tornam populares – e apostam contra eles quando perdem a popularidade. Segundo, comissões e taxas pesadas acumulam-se com o tempo, já que as despesas causam danos crescentes aos retornos do ETF.

Juntos, esses dois inimigos do investidor em ações – emoções e despesas – com certeza prejudicarão sua saúde, sem falar que consomem enormes quantidades de tempo que você poderia facilmente empregar de formas mais produtivas e divertidas.

No início de 2006, os ETFs tornaram-se a vanguarda das alegadas estratégias de "superar o mercado" que descreverei no próximo capítulo. Os empreendedores e vendedores dessas chamadas estratégias beta inteligentes parecem acreditar que suas abordagens de "indexação fundamental" e "fatoriais" são estratégias de longo prazo vitoriosas. Contudo, ao escolherem o formato ETF, insinuam fortemente que trazer os corretores de valores para o mix de distribuição e encorajar os investidores a comprar e vender ativamente seus ETFs levarão a lucros de curto prazo ainda maiores. Duvido.

Os ETFs são a realização de um sonho para empreendedores e corretores. Mas serão a realização de um sonho para o investidor?

Os ETFs claramente são a realização de um sonho para empreendedores, corretores de valores e administradores de fundos. Mas será demais perguntar se esses fundos indexados negociados em bolsa são a realização de um sonho para o investidor? Os investidores realmente se beneficiam por poderem negociar ETFs "o dia inteiro, em tempo real"? Menos diversificação é melhor do que mais diversificação?

Seguir uma tendência é um jogo de vencedor ou de perdedor? Os ETFs são veículos realmente de baixo custo depois que incluímos as comissões de corretagem e os impostos sobre os lucros de curto prazo em suas taxas de despesas? Comprar e vender (geralmente com grande frequência) realmente é uma estratégia melhor do que comprar e manter?

Por fim, se o fundo de índice tradicional foi concebido para se beneficiar da sabedoria do investimento de longo prazo, os investidores nesses fundos indexados negociados em bolsa não estariam se envolvendo demais na loucura da especulação de curto prazo? Como seu bom senso responde a essas perguntas?

Os interesses da empresa vs. os interesses dos clientes

No amplo espectro entre defender os interesses daqueles no negócio de investimentos e os interesses de seus clientes, onde se encaixam os fundos negociados em bolsa? Se você está fazendo uma única e grande compra inicial de uma das duas versões da indexação clássica – o ETF Vanguard 500 ou o ETF Spider 500 – a uma taxa de comissão baixa e pretende manter as ações no longo prazo, você se beneficiará da ampla diversificação e das baixas taxas de despesas oferecidas por ambos. Você pode até obter um pouco de eficiência fiscal extra desses ETFs de amplo mercado.

Mas, se você negocia esses dois ETFs, está desafiando as regras implacáveis da humilde matemática que são a chave dos investimentos de sucesso. E, se você gosta da ideia dos ETFs setoriais, invista nos apropriados e não os negocie.

O ETF é um *negociante para a causa* do TIF. Recomendo aos investidores inteligentes que mantenham o rumo da estratégia indexada comprovada. Embora eu não possa assegurar que o investimento indexado tradicional seja a melhor estratégia já desenvolvida, posso garantir que o número de estratégias que são piores é infinito.

NÃO ACREDITE APENAS EM MIM

Em um ensaio intitulado "Indexing Goes Hollywood" ("A indexação vai até Hollywood"), eis o que **Don Phillips**, diretor executivo da Morningstar, disse: "Existe um lado sombrio da indexação que os investidores não deveriam ignorar. O potencial de dano aos investidores aumenta à medida que as ofertas indexadas tornam-se mais especializadas, que foi exatamente o que aconteceu no mundo dos ETFs. [...] Nas mãos certas, ferramentas de precisão podem criar ótimas coisas. Nas erradas, porém, podem resultar em dano considerável.

"Ao criar ofertas mais complexas, a comunidade da indexação achou novas fontes de receita de [...] ferramentas muito especializadas, mas correndo o risco de causar um dano considerável aos investidores menos sofisticados. O teste de caráter com que se defronta a comunidade da indexação é se ela ignora o risco ou se age para tentar mitigá-lo. A permanente boa reputação da indexação está em jogo."

• • •

De **Jim Wiandt**, fundador da ETF.com (ironicamente antes denominada IndexUniverse.com): "Sempre achei irônico que a indexação – como quase todo o resto no mundo das finanças – vem em ondas. Índices de fundos hedge, índices de microcapitalização, índices de dividendos, índices de commodities, índices da China e índices 'aumentados' são todos modismos do momento. E vou dar três palpites sobre o que todos esses índices têm em comum: (1) caça aos retornos, (2) caça aos retornos e (3) caça aos retornos.

"Se você acredita na indexação, sabe que não existe dinheiro grátis. Em última análise, a tendência para a indexação aumentada consiste em aumentar o resultado financeiro para os dirigentes. [...] Mas é importante ficarmos de olho na bola e lembrarmos a essência da indexação: taxas baixas, ampla diversificação, manter, manter, manter. Não acredite na badalação. Tente superar o mercado – de qualquer maneira – e você provavelmente será derrotado [...] mais ou menos pelo mesmo custo de fazê-lo."

. . .

E agora ouça cuidadosamente as advertências sinceras de dois altos dirigentes de uma grande patrocinadora do ETF. **Executivo principal:** "Para a maioria das pessoas, fundos setoriais não fazem muito sentido. [...] [Não] se afaste demais do rumo do mercado." **Diretor de investimentos:** "Seria uma lástima se as pessoas concentrassem suas apostas precisamente em ETFs com definição muito limitada. Estes ainda envolvem quase tanto risco quanto focar em selecionar ações individuais. [...] Você está correndo um risco extraordinário. É possível levar algo bom longe demais. [...] *Quantas pessoas realmente precisam deles?*"

16

Fundos de índice que prometem superar o mercado

O novo paradigma?

DESDE A CRIAÇÃO do primeiro fundo mútuo de índice, em 1975, os fundos indexados tradicionais (TIFs) projetados para o investidor de longo prazo têm se mostrado um sucesso artístico notável e um sucesso comercial incrível.

Em capítulos anteriores, demonstramos – de forma inequívoca – o sucesso dos fundos indexados em oferecer retornos de longo prazo que superaram fortemente aqueles obtidos por investidores em fundos mútuos ativamente geridos.

Dado esse sucesso artístico, o sucesso comercial da indexação mal surpreende (embora tenha levado um longo tempo para ocorrer!). Os princípios do modelo original do S&P 500 resistiram ao teste do tempo. Hoje a parte do leão dos ativos dos TIFs é aquela que acompanha o mercado de ações americano amplo (o S&P 500 ou o índice total do mercado de ações), o mercado de ações internacional amplo e o mercado de títulos de dívida americano amplo.

Os ativos desses fundos indexados de ações tradicionais dispararam de 16 milhões de dólares em 1976 para 2 trilhões no início de

2017 – 20% dos ativos de todos os fundos mútuos de ações. Os ativos dos fundos indexados de títulos de dívida tradicionais também dispararam, de 132 milhões de dólares em 1986 para 407 bilhões em 2017 – 13% dos ativos de todos os fundos de títulos de dívida tributáveis. Desde 2009, os ativos dos TIFs cresceram a uma taxa anual de 18%, ligeiramente mais rápido do que seus primos ETFs.

Sucesso gera competição.

Em muitas áreas, a indexação se tornou um campo competitivo. Os maiores administradores de TIFs estão envolvidos em guerras de preços altamente competitivas, reduzindo suas taxas de despesas para atrair os ativos de investidores suficientemente inteligentes para perceberem que os custos fazem a diferença.

Essa tendência é ótima para investidores em fundos indexados. Mas limita os lucros dos administradores de fundos indexados e desencoraja aqueles que criam novos empreendimentos esperando enriquecer com a criação de impérios de fundos.*

Estratégias de ETF passivas que visam ultrapassar os retornos do mercado de ações

Como, então, os defensores de fundos indexados beneficiam-se dos atributos comprovados subjacentes ao sucesso do TIF? Ora, eles criam índices novos e aderem ao desfile do fundo negociado em bol-

---

* Os fundos Vanguard funcionam com base nos custos, de modo que é, em grande parte, a economia de escala, e não a competição, que reduz as despesas com que arcam os acionistas de seus fundos indexados. *(N. do A.)*

sa (ETF)! Depois, alegam (ou ao menos insinuam fortemente) que suas novas estratégias indexadas sistematicamente ultrapassarão os índices do mercado amplo que até agora definiram nosso pensamento sobre indexação.

Os administradores dos ETFs cobram uma taxa maior por aquela recompensa potencial maior, quer seja ou não realmente fornecida (geralmente não é). Oferecendo a promessa de obter retornos excedentes, todo um bando de ETFs surgiu para atrair investidores e especuladores.

Administradores ativos versus estratégias ativas

Vejamos a diferença entre as abordagens dos administradores de investimentos ativos tradicionais e dos administradores de ETFs. Os administradores ativos sabem que a única forma de superar a carteira do mercado é afastar-se da carteira do mercado. E é o que os administradores ativos buscam fazer, individualmente.

Coletivamente, não podem ter sucesso, pois suas negociações meramente mudam a propriedade de um possuidor para outro. Todas essas permutas de certificados de ações para lá e para cá, embora possam funcionar para determinado comprador ou vendedor, no agregado enriquecem apenas os intermediários financeiros.

Mas os administradores ativos têm um interesse financeiro velado em defender que, se tiveram sucesso no passado, continuarão a ter no futuro. E, se não tiveram sucesso no passado, bem, dias melhores virão.

Os patrocinadores dos ETFs, por outro lado, não alegam nenhum poder de previsão. Ao contrário, a maioria conta com uma destas duas estratégias: (1) oferecer fundos indexados de amplo mercado que os investidores podem negociar lucrativamente em tempo real (esta parece ser uma alegação enganosa); (2) criar índices para uma grande variedade de setores limitados do mercado que os investidores podem permutar para lá e para cá, obtendo lucros extras (na verdade, os indícios apontam na outra direção).

Assim, o que está acontecendo é que a responsabilidade pela administração de investimentos e pela estratégia da carteira está sendo transferida dos *administradores* ativos de fundos para os *investidores* ativos em fundos mútuos. Essa mudança crucial tem implicações amplas para investidores do mercado. Confesso meu ceticismo quanto à possibilidade de que essa mudança atenda bem aos investidores.

A nova espécie de indexadores passivos são os estrategistas ativos.

A nova espécie de indexadores passivos escolheu, em grande parte, a estrutura do ETF para comercializar seus produtos. É um mercado fácil de entrar. Nos últimos anos, ETFs "beta inteligentes" (seja lá o que isso significa exatamente) tornaram-se um produto popular.

Administradores beta inteligentes criam os próprios índices – na verdade, não índices no sentido tradicional, mas estratégias ativas alegando ser índices. Eles se concentram em ponderar as carteiras pelos chamados fatores – ações com forças semelhantes impelindo seus retornos. Em vez de ponderar os valores da carteira por suas capitalizações de mercado, podem enfocar um único fator (valor, impulso, tamanho, etc.) ou usar uma combinação de fatores como receitas corporativas, fluxos de caixa, lucros e dividendos. Uma carteira ETF beta inteligente, por exemplo, é ponderada pela quantia em dólares dos dividendos distribuídos por cada empresa em vez de ponderada pelas capitalizações de mercado de seus componentes.

Não é uma ideia horrível, mas tampouco mudará o mundo.

Como conceito, beta inteligente não é uma ideia horrível, mas tampouco mudará o mundo. Os administradores de ETFs beta inteligentes contam com computadores para avaliar dados passados sobre ações fortemente garimpados que permitirão que esses administradores identifiquem fatores que possam ser facilmente embalados como ETFs. A meta é gerar grandes lucros para o administrador, reunindo os ativos de investidores em busca de uma vantagem no desempenho.

Sou cético em relação a essas estratégias. Claro que parece fácil. Mas não é. Superar sistematicamente o mercado é difícil, em parte por causa do poder da regressão à média nos retornos dos fundos mútuos. Os fatores vitoriosos de hoje provavelmente serão os fatores perdedores de amanhã. Investidores que ignoram a regressão à média provavelmente cometem um grande erro.

"Lembrança das coisas do passado"

Com a ascensão dos ETFs, lembre-se mais uma vez da febre dos fundos "Go-Go" de 1965-1968 ou a febre dos "Nifty Fifty"[1] de 1970-1973. Modismos estão impelindo a criação de produtos no setor dos fundos. Esses produtos são ótimos para os patrocinadores de

---

[1] Go-go é um apelido dado a fundos mútuos que adotam uma estratégia de investir em ativos de alto risco visando obter retornos acima da média. Nifty Fifty trabalham com cinquenta ações de grande capitalização da Bolsa de Nova York consideradas sólidas nas décadas de 1960 e 1970. *(N. do E.)*

fundos, mas quase sempre terríveis para os investidores em fundos. Lembre-se deste princípio consagrado: *estratégias de marketing bem-sucedidas no curto prazo raramente são – se é que conseguem ser – estratégias de investimento ideais no longo prazo.*

E isto não vai surpreender você: os fatores fundamentais que os empreendedores do ETF costumam identificar como base de suas estratégias de carteira realmente superaram os índices tradicionais no passado. (Vamos chamar isso de *mineração de dados*. Pode ter certeza de que ninguém teria a temeridade de promover uma estratégia nova que tenha perdido para o fundo indexado tradicional do passado.) Mas, nos investimentos, o passado raramente é um prólogo para o futuro.

Acontecimentos recentes confirmam o ceticismo quanto ao poder do beta inteligente.

Mesmo assim, os ativos desses ETFs beta inteligentes (renomeados "beta estratégicos" pela Morningstar) dispararam – de 100 bilhões de dólares em 2006 para mais de 750 bilhões em 2017. Eles representaram notáveis 26% dos fluxos de caixa do setor de fundos mútuos durante os primeiros quatro meses desse ano.

Ao mesmo tempo, os dois maiores tipos de fundo beta estratégico – valor e crescimento – fizeram uma reversão. Durante 2016, o índice de valor subiu 16,9%, enquanto o índice de crescimento ofereceu um ganho bem menor, de 6,2%. Mas, até abril de 2017, o índice de crescimento saltou 12,2%, enquanto o índice de valor penou para obter um ganho de 3,3%. Sim, ambos são períodos curtos para avaliar estratégias fatoriais. Mas o que talvez não surpreenda é que parece que a regressão à média atacou outra vez.

"Os novos copernicanos"?

Os membros dessa nova espécie de indexadores de ETF beta inteligentes não se acanham quando se trata de sua clarividência. Alegam de várias maneiras, ainda que um pouco pomposamente, que representam uma "nova onda" da indexação, uma "revolução" que oferecerá aos investidores um "novo paradigma" – uma combinação de retornos maiores e riscos menores.

De fato, os que acreditam nos índices de base fatorial têm se descrito como "os novos copernicanos", alusão ao astrônomo do século XVI que concluiu que o centro de nosso sistema solar não era a Terra, e sim o Sol. Eles compararam os indexadores ponderados pela capitalização do mercado tradicionais com os antigos astrônomos que tentavam perpetuar a visão de Ptolomeu de um universo centrado na Terra. E asseguraram ao mundo que estamos à beira de uma "enorme mudança de paradigma" na indexação. Na última década, o beta inteligente representou uma pequena mudança de paradigma. Mas mesmo seu primeiro defensor, o chamado "padrinho do beta inteligente", recentemente descreveu um colapso do beta inteligente como "razoavelmente provável" (eu duvido).

Vejamos o desempenho.

Na última década, tanto o fundo de índice "fundamental" original quanto o primeiro fundo de índice "ponderado por dividendos" tiveram a oportunidade de provar o valor de suas teorias. O que provaram? Essencialmente *nada*. A Figura 16.1 apresenta as comparações.

Você notará que o fundo de índice fundamental obteve retornos maiores, ao assumir riscos maiores, do que o fundo S&P 500. O índice de dividendos, por outro lado, obteve retornos menores e correu riscos menores. Mas, quando calculamos o índice de Sharpe ajustado ao risco, o fundo indexado ao S&P 500 vence em ambas as comparações.

FIGURA 16.1 Retornos do "beta inteligente": período de 10 anos encerrado em 31 de dezembro de 2016

	Fundo indexado fundamental	Fundo indexado aos dividendos	Fundo indexado ao S&P 500
Retorno anual	7,6%	6,6%	6,9%
Risco (desvio-padrão)	17,7	15,1	15,3
Índice de Sharpe*	0,39	0,38	0,40
Correlação com o S&P 500	0,97	0,97	1,00

* Uma medida do retorno ajustada ao risco.

A semelhança dos retornos e dos riscos em todos os três fundos não deve surpreender. Cada um possui uma carteira diversificada com ações semelhantes – simplesmente ponderadas de forma diferente. De fato, dada a correlação notadamente alta, de 0,97, dos dois ETFs beta inteligentes com os retornos obtidos pelo S&P 500, ambos poderiam ser facilmente classificados como "fundos indexados *closet*" de alto preço, ou seja, fundos com gestão ativa que, na prática, tentam replicar um índice mas cobram as elevadas taxas de fundos ativos.

O que a carteira indexada ao S&P 500 oferece é a certeza de que seus investidores obterão quase todo o retorno do índice do mercado de ações. Esses dois ETFs beta inteligentes também podem fazê-lo. Só que não temos certeza. Você precisa se fazer estas perguntas: "Entre carteiras semelhantes, prefiro um retorno (relativo) certo ou um incerto? É melhor estar seguro do que arrependido?" Só você pode decidir.

Quando um administrador ativo de um fundo de ações alega ter um meio de descobrir valor extra no mercado de ações americano altamente (mas não perfeitamente) eficiente, os investidores olharão o desempenho passado, examinarão as estratégias e investirão ou não. Muitos desses novos administradores de ETF beta inteligentes são, na verdade, administradores ativos. Eles não apenas alegam ter poder de previsão, mas uma previsão que lhes dá a confiança de que certos setores do mercado (como ações pagadoras de dividendos) superarão o índice amplo até onde os olhos possam alcançar. Essa tese desafia a razão – e as lições da história.

> **"O maior inimigo de um bom plano é o sonho de um plano perfeito." Fique com o bom plano.**

Os fundos indexados ponderados pela capitalização do mercado tradicionais (como o S&P 500) garantem que você receberá sua parcela justa dos retornos do mercado de ações e praticamente asseguram que você superará, no longo prazo, ao menos 90% dos outros investidores no mercado. Talvez esse novo paradigma de indexação fatorial – diferente de todos os outros novos paradigmas que vi – funcione. Mas talvez não.

Recomendo que você não se deixe tentar pelo canto da sereia dos paradigmas que prometem a acumulação de riquezas bem além das recompensas do fundo de índice tradicional. Não se esqueça da advertência profética de Carl von Clausewitz, teórico militar e general prussiano do início do século XIX: *"O maior inimigo de um bom plano é o sonho de um plano perfeito."* Deixe seus sonhos de lado, aplique seu bom senso e fique com o bom plano representado pelo fundo de índice tradicional.

NÃO ACREDITE APENAS EM MIM

Estou convicto desse ponto. Mas não estou sozinho. Primeiro ouça as palavras de **Gregory Mankiw**, professor de Harvard e ex-presidente do Conselho de Assessores Econômicos do Presidente durante o governo de George W. Bush, falando sobre a competição entre os fundos indexados tradicionais e os beta inteligentes. "Estou apostando em Bogle nessa questão." (Ele tinha razão.)

• • •

Depois ouça **William Sharpe**, professor de finanças da Universidade de Stanford e ganhador do Prêmio Nobel de economia: "O beta inteligente é uma estupidez. [...] É admirável que as pessoas acreditem que, de algum modo, um sistema que pondera as ações sem ser pela capitalização possa dominar um índice ponderado pela capitalização. [...] Paradigmas novos vêm e vão. Apostar contra o mercado (e gastar uma boa soma de dinheiro nisso) tende a ser um empreendimento arriscado."

• • •

Por fim, veja esta afirmação sobre a indexação tradicional de **Jeremy Siegel**, professor da Wharton School, autor de *Stocks for the Long Run* (Ações para o longo prazo) e consultor da WisdomTree Investments, a promotora do modelo fatorial com base em dividendos: "Pode-se mostrar que a diversificação máxima é obtida mantendo cada ação *na proporção do seu valor para o mercado inteiro* [grifo nosso]. [...] A visão retrospectiva engana nossas mentes, [...] muitas vezes distorcendo o passado e nos encorajando a adivinhar e ultrapassar outros investidores, que, por sua vez, estão jogando o mesmo jogo. Para a maioria de nós, tentar superar o mercado leva a resultados desastrosos, [...] nossas ações levam a retornos bem menores do que os que podem ser obtidos simplesmente permanecendo no mercado, [...] igualando o mercado ano após ano com fundos indexados [como] a Carteira Vanguard 500 [...] e o Fundo de índice do Mercado de Ações Total da Vanguard." (Essa citação é da primeira edição do livro de Siegel, em 1994. Entendo que ele tenha todo o direito de mudar de ideia.)

17

O que Benjamin Graham teria achado da indexação?

Buffett confirma o endosso de Graham ao fundo de índice.

A PRIMEIRA EDIÇÃO de *O investidor inteligente* foi publicada em 1949. Foi escrita por Benjamin Graham, o mais respeitado administrador de investimentos de sua época. *O investidor inteligente* é considerado o melhor livro de seu tipo – abrangente, analítico, perceptivo e direto –, um livro que sempre será lembrado.

Embora Benjamin Graham seja mais conhecido por seu foco no tipo de investimento de valor representado pela categoria de ações que descreveu como "questões de barganha", ele alertou que "o investidor agressivo precisa de um conhecimento considerável dos valores dos títulos – suficiente para garantir que verá suas operações com os títulos como equivalentes a um empreendimento comercial […] dotado das armas mentais que o distinguem do público negociador. Segue-se desse raciocínio que *a maioria de possuidores de títulos mobiliários deveria escolher a classificação defensiva.*"

Os investidores deveriam estar satisfeitos com o retorno razoável obtido com uma carteira defensiva.

Por quê? Porque "[a maioria dos investidores] não dispõe de tempo, determinação ou equipamento mental para embarcar num investimento como uma quase empresa. Deveria, portanto, se satisfazer com o retorno razoável que pode ser obtido com uma carteira defensiva e deveria resistir bravamente à tentação recorrente de aumentar esse retorno desviando-se para outros caminhos."

O primeiro fundo mútuo de índice só foi formado em 1974, um quarto de século após a publicação de *O investidor inteligente* em 1949. Mas Graham estava descrevendo profeticamente a essência daquele fundo que estabeleceu um precedente. (Coincidentemente, também foi em 1949 que um artigo da revista *Fortune* me apresentou o setor de fundos mútuos, inspirando-me a escrever meu trabalho de graduação em Princeton em 1951 sobre esses fundos. Ali, aludi pela primeira vez à ideia do fundo de índice: "[Os fundos mútuos] não podem alegar superioridade sobre as médias do mercado").

Para o investidor defensivo que precisava de auxílio, Graham originalmente recomendou os consultores de investimentos profissionais, que contam com uma "experiência em investimentos normais de acordo com seus resultados [...] e não alegam ser brilhantes, [mas] se orgulham de ser cautelosos, conservadores e competentes, [...] cujo maior valor para seus clientes é protegê-los de erros dispendiosos".

Graham alertou os investidores a não esperarem muito das bolsas de valores, argumentando que "a fraternidade de negócios de Wall Street [...] ainda está avançando cautelosamente rumo aos altos padrões e à estatura de uma profissão". (Meio século depois, a busca ainda se acha longe de estar completa.)

Wall Street – "uma piada falstaffiana"[1]

Ele também observou, de forma profunda, ainda que óbvia, que Wall Street está "em atividade para ganhar comissões e que o meio de vencer nos negócios é dar aos clientes o que querem, esforçando-se por ganhar dinheiro num campo em que estão condenados, quase por uma lei matemática, a perder". Mais tarde, em 1976, Graham descreveu sua opinião sobre Wall Street como "altamente desfavorável, [...] uma piada falstaffiana que com frequência degenera em um hospício, [...] uma enorme lavanderia na qual as instituições recebem grandes fardos de roupa suja umas das outras". (Sombras das ideias de dois altos executivos de fundos de doações universitários: Jack Meyer, que foi de Harvard, e David Swensen, de Yale, ambos já citados.)

Naquela primeira edição de *O investidor inteligente*, Graham elogiou o uso, por investidores, de grandes fundos de investimento como alternativa à criação das próprias carteiras. Ele descreveu os fundos mútuos consagrados de sua época como "administrados de forma competente, cometendo menos erros do que o investidor pequeno típico", com uma despesa razoável e realizando uma função sensata ao adquirirem e manterem uma lista adequadamente diversificada de ações.

A verdade sobre administradores de fundos mútuos

Graham foi bem realista sobre o que administradores de fundos poderiam alcançar. Ele ilustrou esse argumento em seu livro com

---

[1] Alusão a Falstaff, personagem shakespeariano conhecido como fanfarrão. *(N. do E.)*

dados mostrando que, de 1937 até 1947, quando o S&P 500 ofereceu um retorno total de 57%, o fundo mútuo médio gerou um retorno total de 54%, excluindo o impacto opressivo das comissões de vendas (quanto mais as coisas mudam, mais permanecem as mesmas).

A conclusão de Graham: "As cifras não são muito impressionantes em *ambas* as direções [...] no todo, a capacidade gerencial dos fundos investidos mal tem sido capaz de absorver a carga de despesas e o obstáculo do dinheiro não investido." Em 1949, porém, as despesas dos fundos e os custos de rotatividade eram, notadamente, bem menores do que no setor moderno dos fundos. Essa mudança ajuda a explicar por que, quando os retornos dos fundos foram sobrepujados por esses custos nas últimas décadas, as cifras impressionaram em uma direção negativa, e não positiva.

> "Fundos administrados de modo insensato podem gerar, por um tempo, lucros espetaculares mas em grande parte ilusórios, que inevitavelmente são seguidos de prejuízos calamitosos."

Em 1965, a confiança de Graham em que os fundos produziriam o retorno do mercado menos os custos foi abalada. "Fundos administrados de modo insensato", observou ele na edição de 1973 de *O investidor inteligente,* "podem gerar, por um tempo, lucros espetaculares mas em grande parte ilusórios, que inevitavelmente são seguidos de prejuízos calamitosos." Ele estava descrevendo os chamados fundos de desempenho da era Go-Go de meados da década de 1960, em que "uma nova espécie que tinha um pendor espetacular para produzir vencedores [...] [fundos geridos por] jovens brilhantes e dinâmicos que prometiam realizar milagres com o dinheiro das outras pessoas, [...] [mas] que no fim inevitavelmente geraram prejuízos para o público".

Graham poderia, com a mesma facilidade, estar descrevendo profeticamente as centenas de fundos mútuos arriscados da "nova economia" formados durante o grande mercado em alta, impelido por ações de tecnologia, do fim da década de 1990, e o colapso total dos valores de seus ativos, bem pior do que o colapso subsequente de 50% do mercado. (Ver Figura 7.2 no Capítulo 7.)

> "O verdadeiro dinheiro nos investimentos terá de ser ganho [...] não comprando e vendendo, mas possuindo e mantendo títulos mobiliários [...] [por seus] dividendos e beneficiando-se do aumento do valor no longo prazo."

As lições atemporais de Graham para o investidor inteligente são tão válidas hoje como quando ele as prescreveu na primeira edição de seu livro. A mensagem atemporal de Benjamin Graham:

> O verdadeiro dinheiro nos investimentos terá de ser ganho – como a maioria foi ganha no passado – não comprando e vendendo, mas possuindo e mantendo títulos mobiliários, recebendo juros e dividendos e beneficiando-se do aumento do valor no longo prazo.

A filosofia de Graham tem se refletido repetidamente neste livro, mais bem exemplificada na parábola da família Gotrocks no Capítulo 1 e na distinção entre o mercado real do valor intrínseco corporativo e o mercado das expectativas dos preços efêmeros das ações descrito no Capítulo 2.

A estratégia de Graham de 1949 – precursora do fundo de índice de 1976

Possuir e manter uma lista diversificada de títulos mobiliários? Graham não recomendaria um fundo que, em essência, compra o mercado de ações inteiro e o mantém para sempre, recebendo pacientemente juros e dividendos e aumentos no valor?

Sua advertência de "ater-se rigorosamente a formas de investimento *padrão, conservadoras* e até *sem imaginação*" não ecoa estranhamente o conceito do fundo indexado ao mercado de ações? Quando aconselha o investidor defensivo "a enfatizar a diversificação mais do que a seleção individual", Benjamin Graham não terá se aproximado de descrever o fundo indexado de ações moderno?

O fracasso dos administradores de investimentos

No fim da vida, em uma entrevista publicada em 1976, Graham reconheceu com sinceridade o fracasso inevitável dos administradores de investimentos individuais em superar o mercado. Coincidentemente, a entrevista ocorreu quase no mesmo momento, em agosto de 1976, em que acontecia a oferta pública do primeiro fundo mútuo de índice do mundo: First Index Investment Trust, agora Vanguard 500 Index Fund.

O entrevistador perguntou a Graham: "O administrador médio consegue obter resultados melhores do que o S&P ao longo dos anos?"

A resposta franca de Graham: "Não." Depois ele explicou: "Na verdade, isso significaria que os experts do mercado de ações como um todo conseguiriam superar a si mesmos – uma contradição lógica."*

> **"Não vejo motivo para [os investidores] se contentarem com retornos inferiores aos de um fundo de índice."**

Depois lhe foi perguntado se os investidores deveriam se contentar em ganhar o retorno do mercado. A resposta de Graham: "Sim." Tantos anos depois, o tema central deste livro é permitir que os investidores obtenham sua parcela justa do retorno do mercado de ações. *Somente* o fundo de índice tradicional de baixo custo consegue garantir esse resultado.

Na mesma entrevista, Benjamin Graham foi questionado sobre a objeção que se faz ao fundo de índice – de que diferentes investidores têm diferentes necessidades. De novo, ele respondeu sem meias palavras:

> Na realidade, isso não passa de um clichê ou álibi conveniente para justificar o desempenho medíocre do passado. Todos os investidores querem bons retornos de seus investimentos e têm direito a eles na medida em que puderem ser obtidos. *Não vejo motivo para se contentarem com retornos inferiores aos de um fundo de índice ou pagarem taxas-padrão por resultados inferiores.*

---

* Não há sinais de que especialistas profissionais obtenham retornos maiores do que amadores individuais, nem de que qualquer classe de investidor institucional (por exemplo, gestores de fundos de pensão ou de fundos mútuos) obtenha retornos maiores do que qualquer outra classe. *(N. do A.)*

Os fundamentos práticos da política da carteira

O nome Benjamin Graham está intimamente ligado, ou melhor, é quase sinônimo de "investimento em valores" e da busca de títulos mobiliários subestimados. Mas seu livro clássico dá bem mais atenção aos fundamentos práticos da política da carteira – os princípios diretos e descomplicados da diversificação e as expectativas racionais de longo prazo, também temas amplos deste livro que você está lendo agora – do que a solucionar o enigma da esfinge de escolher ações com desempenho superior por meio de uma análise cuidadosa dos títulos mobiliários.

Achar valor superior já foi uma atividade recompensadora, mas não é mais.

Graham tinha consciência de que as recompensas superiores que havia colhido pessoalmente usando seus princípios de avaliação seriam difíceis de obter no futuro. Naquela entrevista de 1976, ele fez esta concessão notável: "Não sou mais defensor de técnicas elaboradas de análise de títulos mobiliários para achar oportunidades de valor superior. Esta era uma atividade recompensadora, digamos, 40 anos atrás, mas a situação mudou muito desde então.

Nos velhos tempos, qualquer analista de títulos mobiliários bem treinado conseguia realizar um bom serviço profissional de selecionar emissões subestimadas mediante estudos detalhados. *Mas, à luz da enorme quantidade de pesquisas sendo realizadas agora, duvido que, na maioria dos casos, tais esforços amplos gerem escolhas superiores o suficiente para justificar seu custo.*"

É justo dizer que, pelos padrões exigentes de Graham, a maioria esmagadora dos fundos mútuos atuais, em grande parte por causa dos altos custos e da conduta especulativa, não conseguiu cumprir sua promessa. Como resultado, o fundo de índice tradicional agora alcançou a ascendência nas preferências dos investidores.

Por quê? Tanto pelo que ele faz – oferecer a diversificação mais ampla possível – quanto pelo que não faz – não cobrar altas taxas de administração nem se envolver em alta rotatividade da carteira. Essas paráfrases das máximas do livro de Graham são parte importante de seu legado para essa grande maioria de acionistas que, segundo sua crença, seguiriam os princípios que ele delineou para o investidor defensivo.

"Obter resultados satisfatórios nos investimentos é mais fácil do que a maioria das pessoas percebe."

O bom senso, a inteligência, o pensamento claro, a simplicidade e a noção de história financeira de Benjamin Graham – junto com sua disposição de se ater aos princípios sensatos do investimento de longo prazo – constituem seu legado duradouro. Ele sintetiza seus conselhos: "Felizmente para o investidor típico, não é absolutamente necessário ao seu sucesso que ele aplique as qualidades consagradas [...] da coragem, do conhecimento, do julgamento e da experiência [...] ao seu programa – desde que limite sua ambição à sua capacidade e confine suas atividades dentro do rumo seguro e limitado do investimento-padrão, defensivo. *Obter resultados satisfatórios nos investimentos é mais fácil do que a maioria das pessoas percebe; obter resultados superiores é mais difícil do que parece.*"

Quando é fácil assim – na verdade, inacreditavelmente simples – capturar os retornos do mercado de ações por meio de um fundo de índice, você não precisa correr riscos extras – nem arcar com custos excessivos – para obter resultados superiores. Com a longa perspectiva de Benjamin Graham, além do bom senso, do realismo profundo e do intelecto sábio, não resta dúvida na minha mente de que ele teria aplaudido o fundo de índice. De fato, como você verá nas palavras de Warren Buffett a seguir, foi exatamente o que ele fez.

NÃO ACREDITE APENAS EM MIM

Embora os comentários de Benjamin Graham já possam ser facilmente interpretados como um endosso ao fundo indexado ao mercado de ações total, de baixo custo, ouça também **Warren Buffett**, seu protegido e colaborador, cujos conselhos e ajuda prática Graham reconheceu como preciosos na edição final de O investidor inteligente. Em 1993, Buffett endossou inequivocamente o fundo de índice. Em 2006, foi ainda mais longe, não apenas reafirmando esse endosso, mas me garantindo pessoalmente que, décadas antes, o próprio Graham havia endossado o fundo de índice.

Buffett proferiu estas palavras direto para mim num jantar em Omaha em 2006: "Um fundo indexado de baixo custo é o investimento em ações mais sensato para a grande maioria dos investidores. Meu mentor, Ben Graham, assumiu essa posição muitos anos atrás, e tudo que tenho visto me convence de sua verdade."

• • •

Só posso acrescentar, como Forrest Gump: "Isso é tudo que tenho a dizer sobre isso."

18

Alocação de recursos I: Ações e títulos de dívida

Quando você começa a investir. Enquanto acumula ativos. Quando você se aposenta.

NESTE CAPÍTULO E NO PRÓXIMO, abordamos duas questões complexas: os princípios gerais da alocação de ativos e a alocação de recursos visando especificamente seus anos de aposentadoria. São questões que não têm respostas fáceis.

Por quê?

Primeiro, porque os investidores têm uma grande variedade de metas de investimento, graus de tolerância a riscos e características comportamentais.

Segundo, porque tivemos 35 anos de retornos extraordinários nos mercados de ações e de títulos de dívida, altamente improváveis de se repetirem na próxima década. (Ver Capítulo 9, "Quando os bons tempos terminam".)

Terceiro, os autores de livros sobre investimentos são, num sentido real, prisioneiros das épocas que vivenciam. Por exemplo, quando Benjamin Graham escreveu *O investidor inteligente* em 1949, *nunca* havia vivenciado um ano em que a taxa de juros dos títulos de dívida excedesse o rendimento dos dividendos das ações. Em comparação, enquanto escrevo este capítulo em 2017, testemunhei 60 anos consecutivos em que o rendimento dos dividendos das ações *nunca* excedeu a taxa de juros dos títulos de dívida. As reviravoltas, ao que parece, são normais.

Assim, em vez de retroceder e garimpar os dados volumosos sobre retornos e riscos de ações e títulos de dívida no passado, vou discutir princípios claros que você pode aplicar à sua situação atual.

Quer esteja acumulando ativos de investimento durante seus anos de trabalho ou fazendo retiradas de seus ativos nos anos de aposentadoria, espero ajudar a criar alocações de ativos apropriadas para seu futuro.

94% das diferenças em retornos de carteiras se explicam pela alocação de ativos.

Benjamin Graham acreditava que sua primeira decisão de investimento deveria ser como distribuir seus ativos de investimento: quanto deveria manter em ações? Quanto em títulos de dívida? Graham acreditava que essa decisão estratégica pode ser a mais importante de sua vida de investimentos.

Um estudo memorável de 1986 confirmou sua visão. O estudo descobriu que a alocação dos ativos representava espantosos 94% das diferenças nos retornos totais obtidos por fundos de pensão institucionalmente geridos.

Essa cifra de 94% sugere que investidores em fundos de longo prazo poderiam lucrar concentrando-se mais na alocação de seus investimentos entre fundos de ações e de títulos de dívida do que na questão de quais fundos específicos manter.

A divisão-padrão de Benjamin Graham: 50/50

Por onde começar? Comecemos pelo conselho de Benjamin Graham sobre a alocação de ativos em seu clássico de 1949, *O investidor inteligente*:

> Temos sugerido como regra orientadora fundamental que o investidor nunca deveria ter menos que 25% ou mais que 75% de seus fundos em ações, com uma faixa inversa consequente de entre 75% e 25% em títulos de dívida. Existe uma implicação aqui de que a divisão-padrão deveria ser igual, ou 50/50, entre os dois meios de investimento principais.
>
> Além disso, um investidor realmente conservador ficará satisfeito com os ganhos exibidos por metade de sua carteira em um mercado em alta, enquanto em um forte declínio poderá obter muito consolo (à la Rochefoucauld)* ao refletir sobre quão melhor está do que muitos de seus amigos mais ousados.

Alocações de ativos e diferenças em rendimentos

Para os investidores atuais e seus conselheiros, essa alocação de 50/50 em ações/títulos de dívida – e aquela faixa de 75/25 a 25/75 – pode parecer conservadora demais. Mas, em 1949, quando Graham escreveu seu livro, o rendimento de ações era de 6,9% e o rendimento de títulos de dívida era de 1,9%. Hoje, o rendimento das ações é de 2,0% e o dos títulos de dívida, de 3,1% – um mundo de

---

* Uma aparente referência à máxima "Todos temos força suficiente para suportar os infortúnios dos outros". *(N. do A.)*

diferença ao se decidir quanto alocar em ações e quanto em títulos de dívida.*

Essa diferença pode ser medida de duas maneiras principais: (1) a rentabilidade bruta de uma carteira de ações/títulos de dívida 50/50 caiu 40%, de 4,4% para 2,6%; (2) as tabelas de rendimentos foram viradas do avesso, com as ações oferecendo um *acréscimo* de rendimento de 5,0% em 1949 (incrível!) e um *desconto* de rendimento de 1,1% em 2017.

Ao discutir a filosofia de Graham em meu livro de 1993, *Bogle on Mutual Funds: New Perspectives for the Intelligent Investor*, o uso de apenas duas classes de ativos foi meu ponto de partida. Minhas recomendações aos investidores na fase de acúmulo de suas vidas, trabalhando para construir sua riqueza, concentraram-se em um mix de ações/títulos de dívida de 80/20 para investidores mais jovens e 70/30 para investidores mais velhos. Para os investidores iniciando a fase de distribuição pós-aposentadoria, 60/40 para mais jovens, 50/50 para investidores mais velhos.

Solavancos ao longo da estrada

Apesar do nível atual bem mais baixo de taxas de juros e rendimentos dos dividendos, da grande alta do mercado desde a época de Graham e dos solavancos ao longo do caminho (incluindo os colapsos do mercado de ações em 1973-1974 e 1987, o estouro da bolha das pontocom em 2000 e a crise financeira global de 2008-2009), os princípios gerais enunciados por Graham tantos anos atrás continuam notadamente intactos. As porcentagens de alocação de ativos sugeridas por ele ainda formam um ponto de partida sólido para um programa de investimentos sensato.

---

* O rendimento dos títulos de dívida corresponde a uma carteira que consiste de metade de debêntures (3,9%) e metade de obrigações de 10 anos do Tesouro americano (2,3%). *(N. do A.)*

Capacidade de correr riscos, disposição de correr riscos

Existem dois fatores fundamentais que determinam como você deveria alocar sua carteira entre ações e títulos de dívida: (1) sua *capacidade* de correr riscos e (2) sua *disposição* de correr riscos.

Sua capacidade de correr riscos depende de uma combinação de fatores, inclusive sua posição financeira, seus compromissos futuros (por exemplo, renda para aposentadoria, taxas da universidade de seus filhos e/ou netos, pagamento da entrada para a compra de uma casa) e quantos anos você tem disponíveis para financiar esses compromissos. Em geral, você é capaz de aceitar mais riscos se esses compromissos estiverem relativamente distantes no futuro. De modo similar, conforme você acumula mais ativos em relação aos seus compromissos, sua capacidade de correr riscos aumenta.

Sua disposição de correr riscos, por outro lado, é pura questão de preferência. Alguns investidores conseguem encarar os altos e baixos do mercado sem se preocupar. Mas, se você não consegue dormir à noite porque está assustado com a volatilidade de sua carteira, provavelmente está correndo mais riscos do que consegue enfrentar. Conjuntamente, sua capacidade de aceitar riscos e sua disposição de aceitá-los constituem sua *tolerância* aos riscos.

Um modelo de alocação básico para o investidor que está acumulando ativos e o investidor que está aposentado

Vamos começar com um modelo de alocação básico para a acumulação de ativos pelo investidor que está acumulando riqueza.

Os pontos principais a se considerarem são puro bom senso. (1) Investidores que buscam acumular ativos investindo regularmente podem se permitir correr um pouco mais de riscos – ou seja, ser mais agressivos – do que investidores que têm um acervo de capital fixo e dependem da renda e de distribuições uniformes de seu capital para bancar suas despesas diárias de subsistência. (2) Investidores mais jovens, com mais tempo para deixar a magia da capitalização trabalhar para eles, também podem se permitir ser mais agressivos, enquanto investidores mais velhos provavelmente preferirão seguir um rumo mais conservador.

As diretrizes de alocação de Graham são razoáveis. As minhas são semelhantes, porém mais flexíveis. Sua posição de ações deveria ser tão grande quanto permite sua tolerância a correr riscos. Por exemplo, minha alocação-alvo geral máxima recomendada para ações seria de 80% para investidores mais jovens acumulando ativos por um longo período.

Minha alocação-alvo mínima de ações, 25%, se aplicaria a investidores já no fim de seus anos de aposentadoria. Esses investidores precisam dar às *consequências* de curto prazo de suas ações mais peso do que às *probabilidades* de retornos futuros. Precisam reconhecer que a volatilidade dos retornos é uma medida imperfeita do risco. Bem mais significativo é o risco de que precisem liquidar inesperadamente ativos quando for necessário ter dinheiro para arcar com despesas de subsistência – muitas vezes em mercados deprimidos – e talvez receber menos dinheiro do que o custo original dos ativos. Em investimentos, não existem garantias.

Quatro decisões

Como investidor inteligente, você precisa tomar quatro decisões sobre seu programa de alocação de ativos:

- Primeira e mais importante, você precisa fazer uma escolha estratégica ao alocar seus ativos entre ações e títulos de dívida. Investidores em situações diferentes, com necessidades e circunstâncias próprias, obviamente tomarão decisões diferentes.
- Segunda, a decisão entre manter uma proporção fixa ou que varie com os retornos do mercado não pode ser contornada. A proporção fixa (reequilibrando periodicamente para a alocação de ativos original) é uma escolha prudente que limita os riscos e pode ser a melhor escolha para a maioria dos investidores. A carteira que nunca é reequilibrada, porém, tende a dar retornos maiores no longo prazo.
- A terceira é a decisão quanto a introduzir um elemento de alocação tática, variando a proporção ações/títulos de dívida conforme mudam as condições do mercado. A alocação tática tem seus riscos. Mudanças na proporção ações/títulos de dívida podem agregar valor, mas (mais provavelmente, eu acho) podem não acrescentar. Em nosso mundo incerto, mudanças táticas deveriam ser feitas com moderação, pois implicam certa presciência que poucos têm, se é que alguém tem. Em geral, os investidores não deveriam se envolver na alocação tática.
- A quarta, e *talvez* mais importante, é a decisão entre concentrar-se em fundos mútuos ativamente geridos ou fundos indexados tradicionais. Indícios claros e convincentes apontam para a estratégia do fundo de índice.

Todas essas quatro decisões requerem escolhas duras e rigorosas do investidor inteligente. Com ponderação, cuidado e prudência, você pode fazer essas escolhas de forma sensata.

O elo entre os prêmios do risco e as punições do custo

Sim, a alocação de sua carteira de investimentos entre ações e títulos de dívida provavelmente será um determinante importante de sua acumulação de riqueza. Mas pouquíssimos investidores têm conhecimento do elo crítico entre os custos dos fundos e a alocação de ativos.

Uma carteira de baixo custo com uma alocação *menor* em ações (e, portanto, risco *menor*) pode obter o mesmo retorno líquido ou mesmo um retorno líquido *maior* do que uma carteira com uma alocação bem maior em ações (e, portanto, risco *maior*), desde que os custos de investir na alternativa de menor risco sejam substancialmente menores do que aqueles da alternativa de maior risco.

Talvez este exemplo simples possa ajudar (Figura 18.1). Aqui, pressupomos que um investidor possui uma carteira de ações/títulos de dívida de 75/25, com retornos anuais brutos esperados de 6% nas ações e 3% nos títulos de dívida. O investidor em fundos ativamente geridos arca com custos totais, respectivamente, de 2% e 1% ao ano. O retorno líquido esperado dessa carteira seria de 3,5%.

FIGURA 18.1 Reduzindo os custos, você consegue ganhar retornos maiores com menos riscos

	Fundos de gestão ativa de alto custo			Fundos de índice de baixo custo		
	Ações	Títulos	Impacto da carteira	Ações	Títulos	Impacto da carteira
Alocação	75%	25%	-	25%	75%	-
Retorno bruto	6,0%	3,0%	5,25%	6,0%	3,0%	3,75%
Custos	2,0%	1,0%	1,75%	0,05%	0,10%	0,09%
Retorno líquido	4,0%	2,0%	3,50%	5,95%	2,9%	3,66%

Conservando esses retornos de ações e títulos constantes, agora suponha que um investidor bem mais conservador mantém uma carteira de 25/75 – exatamente a alocação inversa. Mas o investidor substitui esses fundos mútuos ativamente geridos de alto custo por fundos indexados de baixo custo que cobram 0,05% para ações e 0,10% para títulos de dívida. Com essa carteira indexada balanceada, o retorno líquido esperado da carteira realmente aumentaria para 3,66% anuais.

Custos baixos permitem que carteiras de risco menor ofereçam retornos maiores do que carteiras de risco maior.

Neste exemplo, simplesmente retirando da equação o peso dos custos excessivos, a carteira de ações/títulos de dívida de 25/75 superaria a carteira de 75/25. *O fundo de índice muda a sabedoria convencional sobre alocação de ativos.*

O custo importa! O prêmio do risco e a punição do custo, em constante guerra entre si, precisam achar seu caminho no processo de equilibrar ações e títulos de dívida na sua carteira. Está na hora.

Serei claro: não estou sugerindo que você deveria reduzir sua alocação de ações caso substitua seus fundos ativamente geridos de alto custo por fundos indexados de baixo custo.

Mas estou sugerindo que, se você mantém fundos de ações e títulos de dívida ativamente geridos em sua alocação de recursos, com taxas bem superiores às dos fundos indexados de baixo custo, deveria examinar o que tende a produzir o melhor retorno líquido.

É só fazer as contas.

Uma perspectiva humana: conselho para um investidor preocupado

Não é preciso muita ciência para estabelecer uma estratégia precisa de alocação de ativos. Mas poderíamos fazer pior do que começar com a meta central de Ben Graham de um equilíbrio de ações/títulos de dívida de 50/50, com uma variação limitada a 75/25 e 25/75, dividida entre fundos indexados básicos de ações e títulos de dívida.

Mas as alocações não precisam ser exatas. Elas também envolvem julgamento, esperança, medo e tolerância ao risco. Nenhuma estratégia infalível está disponível para os investidores. Mesmo eu me preocupo com a alocação de minha carteira.

Na carta a seguir, explico minhas preocupações a um investidor jovem, temeroso de futuras catástrofes em nosso mundo frágil e em nossa sociedade mutável ao tentar calcular uma alocação de ativos sensata para sua carteira.

> Acredito que a economia americana continuará crescendo no longo prazo e que o valor intrínseco do mercado de ações refletirá esse crescimento. Por quê? Porque esse valor intrínseco é criado por rendimentos dos dividendos e pelo crescimento dos lucros, que historicamente tiveram uma correlação de aproximadamente 0,96 com o crescimento econômico dos Estados Unidos como medido pelo PIB (perto de 1,00, uma correlação perfeita).
>
> Claro que haverá momentos em que os preços do mercado de ações subirão acima (ou descerão abaixo) desse valor intrínseco. Pode ser uma época em que exista certa supervalorização. (Ou não. Nunca podemos ter certeza.) Mas, no longo prazo, os preços do mercado sempre acabaram convergindo para o valor intrínseco. Acredito (com Warren Buffett) que é assim que as coisas são, totalmente racionais.

Claro que existem riscos substanciais – alguns conhecidos, outros desconhecidos. Você e eu conhecemos tanto – ou tão pouco – sobre sua ocorrência quanto qualquer outra pessoa. Estamos sozinhos para prever as probabilidades, bem como as consequências. Mas, se não investirmos, acabaremos ficando sem nada.

Minha carteira total contém cerca de 50/50 de ações e títulos de dívida indexados, na maioria de prazos curto e intermediário. Aos 88 anos, é uma alocação confortável. Mas confesso que metade do tempo me preocupo de ter ações demais e a outra metade do tempo de não ter ações suficientes. Por fim, somos meros seres humanos, funcionando numa névoa de ignorância e dependendo das circunstâncias e do bom senso para criar uma alocação de ativos apropriada.

Parafraseando Churchill sobre a democracia, "minha estratégia de investimentos é a pior estratégia já concebida [...] com exceção de todas as outras estratégias já tentadas". Espero que esses comentários ajudem. Boa sorte.

J.C.B.

E boa sorte aos leitores deste capítulo. Façam o melhor possível, pois não existem respostas fáceis para o desafio da alocação de ativos.

19

Alocação de recursos II

Investimento para a aposentadoria e fundos que fixam de antemão a alocação de ativos

EM MEU LIVRO DE 1993, *Bogle on Mutual Funds*, após discutir o grande número de estratégias de alocação de ativos disponíveis para os investidores, levantei a possibilidade de que "menos é mais" – de que um simples fundo balanceado (ou seja, indexado) convencional, com 60% de ações americanas e 40% de títulos de dívida americanos, oferecendo uma diversificação extraordinária e operando com custos baixíssimos, proporcionaria o equivalente funcional de ter sua carteira inteira supervisionada por uma empresa de consultoria de investimentos.

Foi em 1992 que decidi formar um fundo de índice balanceado de ações/títulos de dívida de 60/40 na Vanguard. Visto sob as lentes do quarto de século subsequente, o fundo tem sido um sucesso extraordinário (Figura 19.1).

Vejamos o desempenho notável desse fundo de índice balanceado. Durante seus 25 anos de vida, o fundo obteve um retorno anual de 8,0%, em comparação com 6,3% dos demais fundos, uma vantagem de 1,7 ponto percentual ao ano. Essa margem resultou numa vantagem capitalizada na forma de um retorno cumulativo de 202 pontos percentuais.

A vantagem do fundo de índice balanceado tem resultado, na maior parte, de seus custos baixos – uma taxa de despesas de 0,14% versus 1,34% para o grupo de fundos mútuos balanceados. Essa vantagem da taxa de despesas e a notável correlação de 0,98 dos seus retornos anuais com aqueles dos demais fundos (1,00 é a correlação perfeita) dão-nos todas as razões para esperar que o fundo de índice balanceado supere os demais fundos nos anos à frente.

FIGURA 19.1 A carteira indexada balanceada de baixo custo versus outras carteiras de alto custo, 1992-2016

	Retornos		Taxa de despesas
	Anuais*	Cumulativos	
Fundo de índice balanceado	8,0%	+536%	0,14%
Fundo mútuo balanceado médio	6,3%	+334%	1,34%
Vantagem do fundo de índice	1,7%	+202%	1,20%

* Correlação dos retornos anuais: 0,98.

Sim, um investidor teria se saído melhor mantendo um fundo indexado ao S&P 500 de baixo custo, com retorno anual de 9,3% durante esse período versus o retorno de 8,1% do fundo de índice balanceado. Com volatilidade menor (fundo de índice balanceado: 8,9%, fundo de índice 500: 14,3%), sua vantagem no retorno ajustado ao risco seria ainda maior. Mas, quando houve problemas, o fundo de índice balanceado ofereceu uma proteção excepcional. No período 2000-2002, quando o S&P 500 caiu 38%, o fundo de índice balanceado caiu apenas 14%. Em 2008, com o S&P 500 caindo 37%, o fundo caiu apenas 22%.

Para investidores com um longo horizonte de tempo e consideráveis garra e vigor – investidores com a coragem de não se intimidarem com quedas periódicas do mercado –, claramente uma alocação de 100% no fundo indexado ao S&P 500 quase sempre seria a escolha melhor. (Sua margem foi incomumente próxima nos últimos 25 anos; espero uma diferença maior no futuro.)

Mas e se você tem um horizonte de tempo limitado ou se desanima com a volatilidade do mercado de ações e fica tentado a liquidar sua parte de ações quando o mar está agitado? Nesse caso, a estratégia de definir a alocação e manter-se no rumo, sem intervir, do fundo de índice balanceado, com alocação dos ativos de ações/títulos de dívida de 60/40, representa uma opção que merece séria consideração de você.

A sabedoria de Benjamin Graham outra vez

Não vejo motivo para o investidor aposentado se afastar do conselho oferecido por Benjamin Graham a todos os investidores tantos anos atrás, como relatado no capítulo anterior: uma alocação básica de 50% de ações e 50% de títulos de dívida, com uma variação entre 75/25 e 25/75. A proporção de ações maior para os investidores mais tolerantes ao risco, talvez buscando maior riqueza para si e seus herdeiros; a proporção menor para investidores avessos ao risco, dispostos a sacrificar o potencial de retornos maiores por um pouco mais de paz de espírito.

Fui muitas vezes citado como defensor de uma alocação de ativos simples e aparentemente rígida semelhante: sua posição em títulos de dívida deveria equivaler à sua idade, com o restante em ações. Essa estratégia de alocação de ativos pode servir às necessidades de muitos investidores – ou mesmo da maioria – perfeitamente bem, mas nunca pretendi que fosse mais do que uma regra prática, um ponto de partida para seu processo de análise. É (ou foi!) baseada na ideia de que, quando somos mais jovens, temos ativos limitados para investir, não precisamos da renda do investimento, temos maior tolerância ao risco e acreditamos que ações oferecerão maiores retornos do que títulos de dívida no longo prazo, deveríamos possuir mais ações do que títulos.

Mas, quando ficamos mais velhos e enfim nos aposentamos, a maioria de nós terá acumulado uma carteira de investimentos significativa. Nesse momento, tendemos a ser mais avessos ao risco, mais dispostos a sacrificar a valorização máxima do capital e a contar mais fortemente com as rentabilidades maiores dos títulos de dívida nos últimos 60 anos. Nessas circunstâncias, deveríamos possuir mais títulos do que ações.

A necessidade de flexibilidade

Nunca pretendi que tal regra prática baseada na idade fosse rigidamente aplicada. Por exemplo, com certeza muitos jovens investidores em seu primeiro emprego em tempo integral poderiam também investir regularmente não 75%, mas 100% de suas economias em ações durante seus primeiros anos de investimento.

E 0% em ações provavelmente é uma meta dúbia para um novo centenário (teremos muito mais centenários no decorrer do tempo). A venda constante de ações por esse tipo de investidor para reduzir sua alocação poderia não fazer muito sentido, especialmente se você considerar o potencial de altos impostos sobre ganhos de capital quando ações muito valorizadas são vendidas.

Um plano flexível com base na idade concorda com nosso bom senso. Mas os muitos estudos realizados para validar a ampla variedade de estratégias de alocação semelhantes (mas mais precisas e mais complexas) têm uma falha em comum: baseiam-se nos retornos passados dos títulos de dívida e das ações, cuja repetição não parece provável na década seguinte (ver Capítulo 9).

> **"Os cheques estão no correio."**

O que me traz a um ponto ainda mais importante. Ao ficarmos mais velhos, começamos a contar cada vez menos com o capital humano que nos trouxe até onde estamos hoje e cada vez mais com nosso capital de investimento. Por fim, o mais importante quando nos aposentamos é o fluxo de renda de que precisamos para bancar nossas necessidades – os cheques de dividendos recebidos de nossos investimentos em fundos mútuos e os cheques mensais recebidos da previdência social.

Sim, o valor de mercado de nosso capital é importante. Mas espreitar frequentemente o valor de nossos investimentos, além de improdutivo, é contraproducente. O que realmente buscamos é uma renda de aposentadoria que seja estável e, se possível, cresça com a inflação.

A previdência social enquadra-se perfeitamente nesses critérios. E, com risco moderado, uma carteira de fundo mútuo balanceado pode efetivamente complementar os pagamentos da previdência social (ou ser complementada por elas).

Cerca de metade das rendas de carteiras balanceadas vem de juros dos títulos de dívida, e a outra metade, de dividendos, a maioria de ações de grande capitalização. Com apenas três exceções significativas, os dividendos sobre o S&P 500 aumentaram anualmente desde que o índice começou, 90 anos atrás, em 1926 (ver Figura 6.2 no Capítulo 6).

> **Pagamentos da previdência social mais dividendos de fundos indexados: uma base sólida para uma renda constante e crescente.**

Uma combinação de pagamentos da previdência social e dividendos de fundos de índice* (complementados conforme necessário por retiradas de capital) tende a ser um meio eficaz de obter uma renda mensal regular de seus ativos de aposentadoria. (Embora poucos fundos mútuos de ações paguem dividendos mensais, a maioria tem esquemas para oferecer pagamentos mensais regularmente programados.)

A rentabilidade de ações e títulos de dívida está perto da baixa histórica (ações: 2%, títulos: 3%) e, por causa do impacto pernicioso das despesas dos fundos mútuos, os rendimentos dos fundos mútuos ativamente geridos estão bem menores, como vimos no Capítulo 6. Tais rendimentos baixos dificilmente satisfarão adequadamente as necessidades de renda de muitos investidores. Assim, os investidores estarão mais bem servidos se cogitarem gerar uma renda na aposentadoria mediante uma abordagem de retorno total – usando uma combinação de dividendos de fundos e retiradas regulares do capital acumulado para gerar um fluxo constante de cheques mensais durante a aposentadoria.

Ações não americanas – um novo paradigma de alocação?

Durante a última década, a aceitação do modelo de carteira tradicional de *dois fundos* (títulos de dívida e ações americanos) tem sido grandemente suplantada por um modelo de carteira de *três fundos*: um terço em um fundo indexado de títulos de dívida, um terço em um fundo indexado de ações americanas e um terço em um fundo indexado de ações não americanas.

---

* Como mostra a Figura 6.3 no Capítulo 6, fundos de gestão ativa confiscam a maior parte da renda de dividendos líquida obtida, ou mesmo toda ela; o fundo de índice, não. *(N. do A.)*

Essa alocação de carteira de três fundos simplesmente reflete a ampla aceitação de uma carteira global por muitos consultores e investidores. Essa carteira baseia-se, em essência, nas capitalizações de mercado das ações de quase todas as nações do mundo.

Em meu livro de 1993, *Bogle on Mutual Funds*, aconselhei aos investidores que eles não precisavam manter ações não americanas em suas carteiras e, de qualquer modo, não deveriam alocar mais de 20% de sua parcela de ações às não americanas.

Meu ponto de vista de que uma carteira só com ações americanas servirá às necessidades da maioria dos investidores (e continua servindo) foi desafiado por, bem, todo mundo. O argumento é: "Omitir ações não americanas de uma carteira diversificada não será tão arbitrário quanto, digamos, omitir o setor de tecnologia do S&P 500?"

Argumentei a favor do outro lado. Os americanos ganham seu dinheiro em dólares, gastam em dólares, poupam em dólares e investem em dólares, então, por que correr o risco cambial? As instituições americanas não têm sido geralmente mais fortes do que as de outras nações? Metade das receitas e dos lucros das empresas americanas já não vêm de fora dos Estados Unidos? O produto interno bruto (PIB) dos Estados Unidos não tende a crescer ao menos tão rápido quanto o do restante do mundo desenvolvido ou talvez a um ritmo ainda maior?

O conselho em meu livro de 1993 funcionou bem.

Por algum motivo, meu conselho funcionou bem. Desde 1993, o Índice S&P 500 americano obteve um retorno anual médio de 9,4% (cumulativo: +707%). A carteira não americana – refiro-me ao Índice MSCI da Europa, Australásia e Extremo Oriente – tem tido um retorno anual de 5,1% (+216%).

Dito isso, talvez a vantagem relativa obtida no mercado de ações americano no último quarto de século tenha desaparecido e aquele longo período de desempenho relativamente fraco das ações não americanas tenha levado a avaliações mais atraentes no exterior. Quem realmente sabe? Assim, você terá de examinar as probabilidades e fazer seu julgamento.

Uma proporção fixa de ações/títulos de dívida? Ou uma proporção que muda com as metas do investidor ou com o tempo?

A meta do fundo de índice balanceado com uma proporção fixa de ações/títulos de dívida é poupar os investidores dos desafios de alocar ativos quando mudam os mercados. Mas logo cheguei à conclusão (óbvia!) de que a carteira balanceada arbitrária de 60/40 – talvez a proporção mais sensata para investidores que buscam equilibrar risco e retorno – pode não ser adequada a todos os investidores. Então, por que não oferecer fundos com outras alocações?

Desse modo, em 1994 a Vanguard começou a oferecer quatro fundos "LifeStrategy" (Figura 19.2): Crescimento (80% de ações), Crescimento Moderado (60%), Crescimento Conservador (40%) e Renda (20%). Cada uma dessas alocações de ações agora inclui 60% de ações americanas e 40% de ações não americanas; cada alocação de títulos de dívida inclui 70% de títulos americanos e 30% de títulos não americanos.

O surgimento do fundo de data-alvo (TDF)

Os fundos LifeStrategy não são, absolutamente, a única variação do conceito de fundo balanceado. Na última década, tem havido

FIGURA 19.2 Alocações de ativos de diferentes fundos balanceados

	Fundo Indexado Balanceado	LifeStrategy: Crescimento	LifeStrategy: Crescimento Moderado	LifeStrategy: Crescimento Conservador	LifeStrategy: Renda	Data-Alvo: 2060	Data-Alvo: 2055	Data-Alvo: 2050
Ações americanas	60%	48%	36%	24%	12%	54%	54%	54%
Ações não americanas	0%	32%	24%	16%	8%	36%	36%	36%
Total de ações	60%	80%	60%	40%	20%	90%	90%	90%
Títulos americanos	40%	14%	28%	42%	56%	7%	7%	7%
Títulos não americanos	0%	6%	12%	18%	24%	3%	3%	3%
Total de títulos	40%	20%	40%	60%	80%	10%	10%	10%

	Data-Alvo: 2045	Data-Alvo: 2040	Data-Alvo: 2035	Data-Alvo: 2030	Data-Alvo: 2025	Data-Alvo: 2020	Data-Alvo: 2015	Renda da Data-Alvo
Ações americanas	54%	52%	48%	43%	39%	34%	27%	18%
Ações não americanas	36%	35%	32%	29%	26%	23%	18%	12%
Total de ações	90%	87%	80%	72%	65%	56%	44%	30%
Títulos americanos	7%	9%	15%	20%	25%	32%	42%	54%
Títulos não americanos	3%	4%	6%	8%	11%	12%	14%	16%
Total de títulos	10%	13%	21%	28%	35%	44%	56%	70%

uma explosão na demanda dos investidores pelos fundos de data-alvo (TDFs) – fundos que mantêm carteiras diversificadas de ações e títulos de dívida que gradualmente se tornam mais conservadoras conforme o fundo se aproxima de sua data-alvo, geralmente o ano em que o investidor espera se aposentar.

Fundos de data-alvo para aposentadoria são de longe os mais populares, agora possuindo ativos de quase 1 trilhão de dólares. E seu conceito – em essência, substituir ações por títulos de dívida à medida que se aproxima a necessidade de financiar compromissos futuros – pode se aplicar a outras metas de investimento também, como despesas com a universidade dos filhos. Uma das razões da popularidade dos fundos de data-alvo é a simplicidade. Tudo que você precisa fazer é estimar o ano em que planeja se aposentar ou em que seu filho começará a universidade e depois investir no fundo mais próximo da data-alvo. "Defina-a e esqueça-a" é a ideia.

Os TDFs podem ser uma excelente escolha, não apenas para investidores que estão começando seus planos de investimentos, mas também para investidores que decidem adotar uma estratégia simples para financiar sua aposentadoria. Mas, conforme seus ativos se acumulam e seu balanço pessoal e suas metas de investimento se tornam mais complicados, vale a pena pensar no uso de componentes individuais como fundos indexados de ações e títulos de dívida de baixo custo para construir sua carteira.

Caso opte por investir em TDFs, encorajo-o a dar uma boa olhada primeiro. (Sempre uma boa ideia!) Compare os custos dos TDFs e preste atenção nas estruturas subjacentes. Muitos TDFs contêm fundos ativamente geridos como componentes, enquanto outros usam fundos indexados de baixo custo.

Certifique-se de saber precisamente o que existe na sua carteira de fundo de data-alvo e quanto está pagando por isso. Os TDFs ativamente geridos maiores têm taxas de despesas anuais médias de 0,70%; os TDFs de fundos indexados têm taxas de despesas anuais médias de 0,13%. Você não se surpreenderá ao saber que acredito que fundos de data-alvo com base na indexação de baixo custo tendem a ser sua melhor opção.

Não se esqueça da previdência social.

Seja qual for a estratégia de alocação de ativos que decidir que é melhor, você precisa absolutamente levar em conta o papel da previdência social – a fonte principal de renda da maioria dos aposentados – ao envelhecer. De fato, cerca de 93% dos americanos aposentados recebem da previdência social. Ao definir suas alocações de ativos, a maioria dos investidores precisa levar em consideração a previdência social como um ativo semelhante aos títulos de dívida.

O valor da previdência social em sua carteira é significativo. Vou ilustrar com um exemplo. A expectativa de vida restante média de um americano de 62 anos é de cerca de 20 anos, portanto vou supor que, aos 62 anos, um investidor receberá da previdência social por 20 anos. Com um salário final de 60 mil dólares anuais, um investidor que reivindica a previdência social logo no início receberia 1.174 mensais. Se descontarmos esse benefício pela taxa atual das obrigações do Tesouro ajustadas à inflação, a previdência social do investidor teria um valor capitalizado de cerca de 270 mil. Mas, como esse valor desaparece com a morte do aposentado, vamos descontá-lo arbitrariamente em cerca de um quarto, a um valor revisado de 200 mil dólares (adiante, voltarei ao tema de *quando* reivindicar a previdência social).

Agora, suponhamos que nosso investidor tenha uma carteira de fundos mútuos valendo 1 milhão de dólares e use a clássica alocação de Benjamin Graham de 50/50. Ignorando a previdência social, o investidor alocaria 500 mil a ações e a mesma quantia a títulos de dívida. Mas não devemos ignorar a previdência social.

Previdência social e alocação de ativos

Quando acrescentamos o valor imputado de 200 mil dólares da previdência social à carteira do investidor, esta totaliza 1,2 milhão de dólares. Porém, com aquele investimento extra da previdência social, a parte da carteira semelhante aos títulos de dívida aumenta para 700 mil ou 58%, com 42% em ações.

Para obter uma verdadeira alocação de 50/50, o investidor alocaria 600 mil em ações e 600 mil em títulos de dívida (400 mil em fundos mútuos de títulos de dívida, 200 mil em previdência social). Os fundos de data-alvo geralmente ignoram a renda da previdência social, levando os investidores a manter carteiras mais conservadoras do que poderiam perceber. Embora os TDFs possam ignorar a previdência social como um ativo semelhante aos títulos de dívida, você não deveria ignorá-la.

Atenção: adiar substancialmente o recebimento dos pagamentos mensais da previdência social faz com que eles aumentem substancialmente mais tarde, mas à custa de não recebê-los nos anos intermediários. Os investidores devem comparar a oportunidade de aumentar seus futuros pagamentos mensais com a ausência desses pagamentos por toda uma década.

Por exemplo, nosso investidor com ganhos anuais de 60 mil dólares receberia cerca de 1.174 mensais se os pagamentos começassem aos 62 anos. Ao adiar a previdência social até os 72 anos, os pagamentos mensais cresceriam para 1.974 dólares – um aumento notável de quase 70%. Mas, ao adiar os pagamentos por 10 anos, esse investidor teria deixado de receber um total de 140.900 dólares em pagamentos da previdência social. Seria necessário receber os benefícios mensais maiores por 14 anos para compensar todos esses pagamentos adiados.

A necessidade de sacar capital

Com a atual taxa de juros dos títulos de dívida de aproximadamente 3% e o rendimento dos dividendos das ações em 2% (em ambos os casos, antes dos altos custos dos fundos ativamente geridos), a renda produzida por sua carteira de aposentadoria tende a ficar bem aquém de suas necessidades de gastos na aposentadoria. Uma regra prática sugere que uma taxa de retirada anual de 4% (incluindo renda e capital) do valor ao fim de cada ano de seu capital de aposentadoria inicial, ajustada anualmente pela inflação, tende a ser sustentável ao longo dos anos de sua aposentadoria, embora não haja garantia.

Não siga rigorosamente nenhuma regra de gastos como 4% anuais. Mantenha um nível de flexibilidade em seu plano de gastos na aposentadoria. Se os mercados estiverem especialmente ruins e sua regra de gastos for pegar uma porção grande demais de sua carteira, aperte o cinto e retire um pouco menos. Se os mercados estiverem bem e sua taxa de gastos permitir poupar acima do que você necessita, reinvista o dinheiro extra para o futuro sempre incerto. Ao fazer isso, você reduzirá os gastos da carteira quando os mercados forem desfavoráveis e terá a oportunidade de recuperar seu capital quando os mercados voltarem a melhorar.

Nenhuma garantia

Vou reiterar: qualquer estratégia de alocação de ativos está sujeita a numerosos riscos – risco do mercado de ações, risco do rendimento, risco macroeconômico e outros neste mundo frágil. Tudo que nos resta é fazer julgamentos informados e depois sermos flexíveis na alocação e nos rendimentos conforme as condições mudarem.

NÃO ACREDITE APENAS EM MIM

Com todas as opções de alocação mais sofisticadas agora disponíveis, os méritos do simples fundo indexado balanceado de ações/títulos de dívida de 60/40 costumam ser ignorados. Mas, no início de 2017, **Ben Carlson**, autor de A Wealth of Common Sense (Uma riqueza de bom senso), saudou o conceito no artigo "Uma lição de simplicidade nos investimentos: Por que o modelo de Bogle vence o modelo de Yale", republicado na MarketWatch.

"Todo ano, o Estudo de Dotações NACUBO-Commonfund" informa os retornos de investimentos obtidos por "mais de oitocentas dotações universitárias, representando 515 bilhões de dólares em ativos."

Carlson usa o que denomina "o Modelo Bogle", uma carteira de 40% do Fundo Indexado ao Mercado de Ações Total (americano), 20% do Fundo Indexado de Ações Internacionais Total e 40% do Fundo Indexado ao Mercado de Títulos de Dívida Total (americano). A tabela mostra como o modelo Bogle superou sistematicamente o desempenho das dotações universitárias médias em períodos significativos até 30 de junho de 2016. Por toda a década precedente, o modelo superou até os fundos de dotações do decil superior.

Carlson conclui: "Isso nada tem a ver com investimento ativo versus passivo. Trata-se inteiramente de simples vs. complexo, programas de investimento operacionalmente eficientes vs. operacionalmente ineficientes e carteiras de alta probabilidade vs. carteiras de baixa probabilidade. Investir já é suficientemente difícil antes de se introduzir um estilo complexo, ineficiente, de baixa probabilidade. Por isso o Modelo Bogle simples, eficiente, de alta probabilidade vence."

• • •

O Modelo Bogle supera o desempenho dos maiores retornos de dotações universitárias até 30 de junho de 2016

	O Modelo Bogle	Dotação Média	Dotações do Quartil Superior	Dotações do Decil Superior
3 Anos	6,4%	5,2%	6,3%	6,6%
5 Anos	6,5%	5,4%	6,2%	6,6%
10 Anos	6,0%	5,0%	5,3%	5,4%

Fonte: Estudo de Dotações NACUBO-Commonfund.

NOTA: O Fundo Indexado Balanceado de 60/40 contendo apenas ações americanas em sua alocação obteve retornos bem maiores do que o "Modelo Bogle": 3 anos: 8,4%; 5 anos: 8,6%; 10 anos: 6,9%. Só o tempo dirá qual dessas duas estratégias será superior nos anos à frente.

20

Conselhos de investimentos que resistem ao teste do tempo

Como canalizar Benjamin Franklin

NA VERDADE, continuo totalmente confiante de que a grande maioria das famílias americanas estaria bem servida concentrando seus investimentos em ações em um fundo de índice que acompanhasse o S&P 500 (ou o mercado de ações total) e mantendo seus títulos de dívida em um fundo de índice que acompanhasse o mercado de títulos de dívida total (os investidores nas faixas de alta tributação, porém, possuiriam, em vez disso, uma carteira quase indexada de baixíssimo custo de títulos de dívida municipais de prazo intermediário e grande segurança). Repetindo: embora tal estratégia voltada para a indexação possa não ser a melhor já concebida, o número de estratégias de investimento que são piores é infinito.

Ouça Warren Buffett: "*A maioria dos investidores, tanto institucionais quanto individuais, descobrirá que a melhor forma de possuir ações é por intermédio de um fundo de índice que cobra taxas mínimas. Aqueles que seguem essa rota com certeza superarão os resultados líquidos (após as taxas e as despesas) oferecidos pela grande maioria dos profissionais de investimentos."* (Não se esqueça de que um fundo de índice com taxas mínimas também é, para a maioria dos investidores, a melhor forma de possuir títulos de dívida.)

Com toda a incerteza inevitável em meio ao nevoeiro eternamente denso que cerca o mundo dos investimentos, ainda tem muita coisa que sabemos.

Na busca do sucesso nos investimentos, perceba que não é possível saber quais retornos as ações e títulos de dívida oferecerão nos próximos anos, nem os retornos futuros que poderiam ser obtidos por alternativas à carteira indexada. Mas anime-se. Com toda a incerteza inevitável em meio ao nevoeiro eternamente denso que cerca o mundo dos investimentos, ainda tem muita coisa que sabemos. Veja estas realidades do bom senso:

- *Sabemos* que precisamos começar a investir o mais cedo possível e continuar a investir dinheiro regularmente dali em diante.
- *Sabemos* que investir implica riscos. Mas também sabemos que não investir nos condena ao fracasso financeiro.
- *Sabemos* quais são as fontes dos retornos nos mercados de ações e títulos de dívida, e esse é o início da sabedoria.
- *Sabemos* que o risco de selecionar títulos mobiliários individuais e o risco de selecionar administradores de fundos e estilos de investimento podem ser eliminados pela total diversificação oferecida pelo fundo de índice tradicional. Só o risco do mercado permanece.
- *Sabemos* que os custos importam, predominantemente no longo prazo, e sabemos que precisamos minimizá-los.

- *Sabemos* que os impostos importam e também precisam ser minimizados.
- *Sabemos* que a ideia de superar o mercado ou de saber o timing certo do mercado não pode ser generalizada sem autocontradição. *O que pode funcionar para uns poucos pode não funcionar para a maioria.*
- Finalmente, *sabemos* que *não* sabemos. Nunca podemos ter certeza de como será nosso mundo amanhã e sabemos menos ainda como será daqui a uma década. Mas, com uma alocação de ativos inteligente e opções de investimento sensatas, podemos estar preparados para os inevitáveis solavancos ao longo da estrada e devemos transpô-los com tranquilidade.

Nossa tarefa continua: obter nossa parcela justa de todos os retornos que nossas empresas comerciais tenham a generosidade de oferecer nos anos à frente. Essa, para mim, é a definição de sucesso nos investimentos.

O fundo de índice tradicional é o único investimento que garante a realização dessa meta. Não fique entre os perdedores cujos retornos dos investimentos ficarão bem aquém dos retornos obtidos no mercado de ações. Você será vencedor se seguir as diretrizes simples deste livro.

John Bogle e Benjamin Franklin: princípios de investimento semelhantes

Ao examinar minhas ideias de investimentos no contexto daquelas que tenho observado no longo decorrer da história, encontro, em retrospecto, um notável conjunto de princípios paralelos que refletem a sabedoria de Benjamin Franklin. Veja esta coletânea de citações dele e minhas.

Sobre poupar para o futuro:

Franklin: Se você se tornar rico, pense em poupar tanto quanto em obter. Lembre-se de que tempo é dinheiro. O tempo perdido nunca é recuperado.

Bogle: Não investir é um meio seguro de deixar de acumular a riqueza necessária para assegurar um futuro financeiro sólido. Os juros compostos são um milagre. O tempo é seu amigo. Dê a si mesmo todo o tempo possível.

Sobre a importância do controle de custos:

Franklin: Cuidado com as pequenas despesas: um pequeno vazamento afunda um grande navio.

Bogle: A matemática básica funciona. Seu retorno líquido é simplesmente o retorno bruto da sua carteira de investimentos menos os custos que você contrai. Portanto, minimize as despesas do seu investimento.

Sobre correr riscos:

Franklin: Não existe ganho sem sofrimento. Para pescar um peixe, é preciso arriscar sua isca.

Bogle: Investir é preciso. O maior risco é o de longo prazo de não pôr seu dinheiro para trabalhar com um retorno generoso, e não aquele de curto prazo (mas mesmo assim real) da volatilidade do mercado.

Sobre entender o que é importante:

Franklin: Um investimento em conhecimento sempre rende os melhores juros. O aprendizado é para o estudioso, e as riquezas são para o cauteloso. Se um homem esvazia sua carteira investindo em sua cabeça, nenhum homem consegue tirar aquilo dele.

Bogle: Para ser um investidor de sucesso, você precisa de informações. Se por um lado as informações sobre os retornos passados obtidos pelos fundos mútuos – especialmente os retornos de curto prazo – quase não fazem sentido, as informações sobre riscos e custos são preciosas.

Sobre os mercados:
Franklin: Um homem pode ser mais sagaz do que outro, mas não mais sagaz do que todos os outros.
Bogle: Não pense que você sabe mais do que o mercado. Ninguém sabe. E não aja baseado em informações que você acha que são suas, mas geralmente são compartilhadas por milhões de outros.

Sobre segurança:
Franklin: Grandes embarcações podem se aventurar mais, mas pequenos barcos devem ficar perto da costa.
Bogle: Quer seus ativos sejam grandes ou humildes, diversifique, diversifique, diversifique em uma carteira de ações e títulos de dívida. Assim, apenas o risco do mercado permanece. Investidores de recursos modestos deveriam ser especialmente cautelosos.

Sobre as previsões:
Franklin: É fácil ver, mas difícil prever.
Bogle: É preciso sabedoria para saber o que não sabemos.

Sobre cuidar dos próprios interesses:
Franklin: Se quiser ter um servidor fiel, sirva a si próprio.
Bogle: Você nunca deve ignorar seus próprios interesses econômicos.

E, por fim, sobre determinação:
Franklin: A indústria, a perseverança e a frugalidade fazem a fortuna render.

Bogle: Não importa o que aconteça, atenha-se ao seu programa. Pense no longo prazo. Paciência e consistência são os ativos mais valiosos para o investidor inteligente. "Permaneça no rumo."

Sim, admito francamente que o Franklin do século XVIII tinha bem mais jeito com as palavras do que o Bogle do século XXI. Mas nossas máximas quase semelhantes indicam que os princípios da poupança e do investimento sensatos foram consagrados pelo tempo, sendo talvez quase eternos.

O caminho para a riqueza

O caminho para a riqueza, repito pela última vez, é não apenas aproveitar a magia da capitalização dos retornos de longo prazo, mas também evitar a tirania da capitalização dos custos de longo prazo. Evite as modalidades de comercialização oportunista de alto custo e alta rotatividade que caracterizam o sistema de serviços financeiros atual. Enquanto os interesses das *empresas* de Wall Street são bem servidos pelo aforismo "Não fique parado – faça algo!", os interesses dos *investidores* comuns são bem servidos por uma abordagem diametralmente oposta: "Não faça algo – fique aí parado!"

NÃO ACREDITE APENAS EM MIM

As ideias neste capítulo de encerramento parecem bom senso para mim e talvez também pareçam bom senso para você. Mas, caso tenha alguma dúvida, ouça-as ecoando nestas palavras de **Clifford S. Asness**, diretor administrativo da AQR Capital Management: "Basicamente, sabemos como investir.

Uma boa analogia são as dietas e os livros de dieta. Todos sabemos como perder peso e ficar em melhor forma: coma menos e faça mais exercício físico [...] isso é *simples* – mas não é *fácil*. Investir não é diferente.

"Alguns conselhos simples, mas não fáceis, para bons investimentos e planejamento financeiro incluem: diversifique amplamente, [...] mantenha baixos os custos, [...] reequilibre de forma disciplinada, [...] gaste menos, [...] poupe mais, [...] faça menos suposições heroicas sobre os retornos futuros [...] quando algo parecer um almoço grátis, suponha que não seja grátis a não ser que alguns argumentos bem convincentes sejam apresentados – e depois confira de novo.

"Pare de observar os mercados de ações, [...] trabalhe menos em investir, não mais. [...] De forma realmente hipocrática: Não cause dano! Você não precisa de uma bala mágica. Pouca coisa pode mudar o fato de que os retornos atuais esperados em um grande conjunto de classes de ativos estão baixos em relação à história. *Atenha-se aos fundamentos com disciplina.*"

• • •

As ideias simples deste livro realmente funcionam. Acredito que o fundo de índice clássico deve estar no núcleo de uma estratégia vitoriosa. Mas mesmo eu não teria a temeridade de dizer o que o falecido **Dr. Paul Samuelson**, do MIT, disse em um discurso na Boston Society of Security Analysts no outono de 2005: "*A criação do primeiro fundo de índice, por John Bogle, foi o equivalente à invenção da roda, do alfabeto, do vinho e do queijo.*" Esses elementos essenciais da vida que se tornaram corriqueiros resistiram ao teste do tempo. O mesmo se dará com o fundo de índice tradicional.

AGRADECIMENTOS

AO ESCREVER ESTE LIVRO, recebi um apoio maravilhoso e incrível de toda a equipe (de três pessoas) do Centro de Pesquisas de Mercados Financeiros Bogle, a unidade apoiada pela Vanguard que começou suas atividades formais no início de 2000.

Começarei com agradecimentos especiais a Michael W. Nolan Jr., analista de investimentos sênior e pesquisador, meu parceiro e às vezes minha consciência. Mike trabalhou habilmente ao meu lado por seis anos agora, parte de sua carreira de 16 anos na Vanguard. Mike fez quase tudo menos escrever este livro: pesquisou temas, desenvolveu dados, checou fontes, ajudou a revisar o texto e interagiu com a editora. Fez isso não apenas com excelência, mas com uma tranquilidade e um senso de humor que é preciso ver para crer.

Emily Snyder, minha auxiliar executiva há 27 anos (e com 32 anos de serviço na equipe da Vanguard), tem sido uma das principais responsáveis por transformar minhas anotações rabiscadas em um texto belamente digitado. Fez tudo com extraordinária habilidade, constante requinte e um bom humor infalível. Embora eu ache que ela tenha estremecido quando eu disse que, sim, escreveria meu décimo primeiro livro, ela me acompanhou pacientemente ao longo das usuais oito revisões que não posso deixar de fazer – tudo em busca de um texto claro, preciso, lógico e amigável para o leitor.

Kathy Younker é novata em nosso pequeno grupo, mas fez sua parte na incessante digitação e redigitação, ajustando o ritmo do meu texto ao ritmo frenético de nossa atividade, também com notável habilidade, paciência e bom humor.

Devo observar que assumo plena responsabilidade pelas fortes opiniões expressas neste livro. Essas opiniões não representam necessariamente aquelas da atual gestão da Vanguard.

Permaneço profundamente dedicado à Vanguard e aos membros de nossa equipe e continuo perseverando na defesa dos valores que investi na empresa ao fundá-la, em 1974, e durante os 25 anos em que fui executivo principal, depois presidente e por fim presidente sênior.

CONHEÇA OUTROS LIVROS DA EDITORA SEXTANTE

A bola de neve
Alice Shroeder

Warren Buffett pela primeira vez autorizou alguém a produzir sua biografia, concedendo a Alice Schroeder acesso irrestrito a seus familiares, amigos e parceiros – e, é claro, a ele mesmo.

A autora mergulhou a fundo na vida do empresário, desvendando sua personalidade, suas lutas, seus triunfos e seus momentos de sabedoria e de insensatez. O resultado é a história de um dos maiores personagens de nosso tempo, uma figura complexa e interessante que se tornou uma lenda viva pela fortuna que construiu e, sobretudo, pelas ideias, causas e valores que defendeu.

Esta biografia revela o homem por trás do mito e mostra como sua obstinação e seu talento foram sendo lapidados desde garoto – aos 6 anos, ele procurava lucrar vendendo chicletes, aos 7 pediu de presente um livro sobre o mercado de ações, aos 10 fez sua primeira visita à Bolsa de Valores e, aos 11, seu primeiro investimento.

Apresentando a trajetória de Buffett desde sua infância, nos anos que se seguiram à Grande Depressão, até os dias de hoje, *A bola de neve* conta surpreendentes episódios da vida do empresário que, com sua conduta ética e disciplinada, tratou investidores como sócios e sempre pregou a honestidade como investidor, conselheiro e palestrante.

Ao longo de 60 anos, Buffett fez fortuna identificando valor onde ninguém via e aproveitando-se dos momentos de crise enquanto a maior parte dos investidores recuava. Dono de um profundo conhecimento e instinto empresarial, além de uma notável capacidade de fazer amigos, sua vida é uma verdadeira aula de negócios, cheia de histórias saborosas e de ensinamentos valiosos.

Investimentos inteligentes
Gustavo Cerbasi

Saber investir é cada dia mais importante para garantir um futuro mais tranquilo para você e sua família. Se ainda não sabe o que fazer com seu dinheiro ou não está satisfeito com seus rendimentos atuais, chegou a hora de dar um passo adiante.

Investir sempre envolve riscos, mas isso pode ser feito com mais segurança do que você imagina. Com décadas de experiência, Gustavo Cerbasi ensina que não existe um único investimento perfeito, e sim estratégias mais indicadas para cada pessoa, de acordo com suas necessidades.

Quais são os obstáculos enfrentados por um investidor iniciante? O que não se deve fazer? Como avaliar a grande quantidade de opções disponíveis?

Neste livro, Cerbasi responde a essas e outras perguntas, desmistificando algumas questões e apresentando em linguagem acessível as diversas possibilidades de investimento, desde renda fixa e fundos até ações, previdência privada e imóveis.

Com informações atualizadas, esta edição totalmente revista traz também opções e ferramentas mais recentes, como criptomoedas e robôs de investimento, e explica como tirar proveito das mudanças no mercado. Tudo que você precisa saber para tomar as melhores decisões na sua vida financeira.

A riqueza da vida simples
Gustavo Cerbasi

Uma vida rica pressupõe a realização de sonhos. Se você não está alcançando nada do que sonhou, talvez precise rever seu estilo de vida.

Neste livro, Gustavo Cerbasi usa toda a experiência adquirida ao longo de 20 anos dedicados à educação financeira para propor um novo modelo de construção de riqueza, baseado em escolhas sustentáveis.

Em vez de abrir mão de qualidade de vida para manter um padrão incompatível com a sua realidade, o autor propõe reduzir os custos fixos, adotar o minimalismo e ter fartura apenas do que é genuinamente importante para você.

O foco é na redução das ineficiências relacionadas ao padrão de vida. Não se trata de poupar centavos, mas de fazer mudanças estruturais que deixem sua vida financeira menos engessada.

Cerbasi apresenta o projeto de sua casa inteligente e autossustentável, discute os desafios da sociedade frente ao desperdício e aponta caminhos para quem busca mais equilíbrio e liberdade tanto no presente quanto no futuro.

Em *A riqueza da vida simples* você vai aprender a:
- Ter planos para se blindar contra o aumento dos gastos – tanto a inflação como o encarecimento da vida imposto pela idade.
- Repensar o tamanho e o valor do imóvel onde vive ou do carro que possui.
- Estudar para fortalecer sua empregabilidade e sua motivação para o trabalho.
- Reavaliar seus planos com frequência e melhorar seus investimentos.
- Priorizar a concretização de seus sonhos

CONHEÇA ALGUNS DESTAQUES DE NOSSO CATÁLOGO

- Augusto Cury: Você é insubstituível (2,8 milhões de livros vendidos), Nunca desista de seus sonhos (2,7 milhões de livros vendidos) e O médico da emoção
- Dale Carnegie: Como fazer amigos e influenciar pessoas (16 milhões de livros vendidos) e Como evitar preocupações e começar a viver
- Brené Brown: A coragem de ser imperfeito – Como aceitar a própria vulnerabilidade e vencer a vergonha (900 mil livros vendidos)
- T. Harv Eker: Os segredos da mente milionária (3 milhões de livros vendidos)
- Gustavo Cerbasi: Casais inteligentes enriquecem juntos (1,2 milhão de livros vendidos) e Como organizar sua vida financeira
- Greg McKeown: Essencialismo – A disciplinada busca por menos (700 mil livros vendidos) e Sem esforço – Torne mais fácil o que é mais importante
- Haemin Sunim: As coisas que você só vê quando desacelera (700 mil livros vendidos) e Amor pelas coisas imperfeitas
- Ana Claudia Quintana Arantes: A morte é um dia que vale a pena viver (650 mil livros vendidos) e Pra vida toda valer a pena viver
- Ichiro Kishimi e Fumitake Koga: A coragem de não agradar – Como se libertar da opinião dos outros (350 mil livros vendidos)
- Simon Sinek: Comece pelo porquê (350 mil livros vendidos) e O jogo infinito
- Robert B. Cialdini: As armas da persuasão (500 mil livros vendidos)
- Eckhart Tolle: O poder do agora (1,2 milhão de livros vendidos)
- Edith Eva Eger: A bailarina de Auschwitz (600 mil livros vendidos)
- Cristina Núñez Pereira e Rafael R. Valcárcel: Emocionário – Um guia lúdico para lidar com as emoções (800 mil livros vendidos)
- Nizan Guanaes e Arthur Guerra: Você aguenta ser feliz? – Como cuidar da saúde mental e física para ter qualidade de vida
- Suhas Kshirsagar: Mude seus horários, mude sua vida – Como usar o relógio biológico para perder peso, reduzir o estresse e ter mais saúde e energia

sextante.com.br